# LAST CHANCE

*Ein Enemies to Lovers – Liebesroman (Unwiderstehliche Brüder 9)*

## JESSICA F.

# INHALT

Veröffentlicht in Deutschland:

Von: Jessica F.

© Copyright 2021

ISBN: 978-1-63970-060-8

✿ Erstellt mit Vellum

# KLAPPENTEXT

**Groß, dunkelhaarig und gutaussehend. Cayce Duran
hatte alles.
Schade, dass mein Milliardärsboss es auf ihn
abgesehen hat.**

Ich musste ehrlich zu mir sein wegen dem, was mein Chef von
mir verlangte.
Ich hatte in meiner Vergangenheit fragwürdige Dinge getan,
aber ich war keine Mörderin.

Als ich das Verlangen in seinen dunklen Augen sah, wusste ich,
dass ich weit gekommen war.
Der Blick in seinen Augen setzte mich in Flammen.
Eine so starke Anziehungskraft hatte ich in meinem ganzen
Leben noch nie gespürt.
Ich mochte es. *Nein.* Ich liebte es.
Aber meine Familie brauchte mich.

*Ich muss tun, was er will – für meine Familie.*

Meine Mutter und meine Schwester mussten operiert werden.

*Eine Million Dollar wäre genug, um ihre Operationen zu finanzieren und jemanden einzustellen, der sie danach pflegt.*

**Aber wie kann ich diesen Mann dazu bringen, etwas Unangemessenes oder Illegales zu tun?**

**Warum passiert das ausgerechnet mir?**

*Ich weiß nicht, ob ich das schaffe.*

# KAPITEL EINS

## CAYCE

Ich musste zugeben, dass ich ein wenig nervös war, als meine Brüder und ich den Besprechungsraum im Whispers Resort und Spa betraten. Vier weitere Stühle waren an den runden Tisch gestellt worden, um Platz für uns zu schaffen.

Obwohl es noch nicht offiziell war, standen wir kurz davor, Teil des aufstrebenden Imperiums unserer Cousins, der Gentry-Brüder, zu werden. Mithilfe des beträchtlichen Erbes, das ihnen ihr Großvater hinterlassen hatte, hatten die Männer aus etwas Negativem etwas Positives für sich selbst und zahlreiche andere Menschen gemacht.

Die Nash-Brüder hatten als Erste ein großzügiges Darlehen von den Gentrys erhalten, um ihr Traumresort zu bauen. Und es florierte auf eine Weise, von der sie nicht einmal zu träumen gewagt hatten.

Darauf hofften auch wir und es war der Grund dafür, dass wir um dieses Treffen mit den Männern gebeten hatten. Wir hatten große Träume. Was wir nicht hatten, war die riesige Menge Geld, die wir brauchten, um sie in die Tat umzusetzen.

„Warum habe ich das Gefühl, dass ich mich gleich übergeben muss?", fragte mein Bruder Chase.

Er war nach mir der Zweitälteste. Es war eine seltsame Position für ihn. Obwohl er nicht der Älteste war, stand er dennoch unter Druck und trug die Verantwortung für unsere beiden jüngeren Brüder. Ich verstand, wie er sich fühlte, und klopfte ihm auf den Rücken, um ihn – und mich – ein bisschen aufzumuntern. „So geht es mir auch. Was wir verlangen, ist nicht wenig. Und es wird auch nicht leicht sein, unser derzeitiges Arbeitsverhältnis zu verlassen. Aber es ist wichtig für die Zukunft der ganzen Welt. Also müssen wir die Nerven behalten und unsere Ideen unseren Cousins präsentieren. Sie sind unsere Familie, Chase. Wir können uns darauf verlassen, dass sie uns eine sanfte Absage erteilen, wenn sie das für das Beste halten."

Als Jüngster hatte Chance immer noch viel Optimismus in sich. „Warum sollten sie unsere großartige Idee ablehnen?"

Callan war der Zweitjüngste und stellte sich, wie so oft, auf die Seite von Chance. „Ja, unsere Idee ist verdammt gut, Mann."

Das dachte ich auch, aber es änderte nichts an der Tatsache, dass ich keine Ahnung hatte, ob unsere Cousins, die sich mit Viehzucht, Landwirtschaft und dem Gastgewerbe beschäftigten, unsere Begeisterung teilen würden. Vor allem über etwas, das noch nicht gründlich erforscht war.

Das hallende Geräusch von Lederschuhen auf dem edlen Marmorboden erregte unsere Aufmerksamkeit. Perfekt in teure Business-Anzüge gekleidet, kamen die Nash-Brüder herein, um uns mit einem breiten Lächeln auf ihren fünf Gesichtern zu begrüßen.

Baldwyn, der Älteste von ihnen, streckte mir die Hand entgegen. „Cayce. Ich freue mich, dich wiederzusehen, Cousin."

„Ich freue mich auch, dich zu sehen, Baldwyn." Ich schüttelte ihm die Hand und lächelte ihn an. „Ich freue mich wirklich, dass ihr alle beschlossen habt, euch unseren Vorschlag anzuhören."

„Natürlich, Cayce. Nach allem, was du mir bisher erzählt hast, ist es ein erstaunliches Konzept. Ich bin gespannt, mehr darüber zu hören."

Seine Brüder – Patton, Warner, Cohen und Stone – begrüßten uns ebenfalls. Dann hörten wir das Geräusch von Stiefeln, die auf den Besprechungsraum zukamen.

Stone lachte. „Da kommen die Cowboys."

Die drei Gentry-Brüder trugen Flanellhemden, Bluejeans mit großen, glänzenden Gürtelschnallen und Cowboyhüte aus Stroh.

Tyrell, der Älteste, zog seinen Hut, als er sagte: „Willkommen, Duran-Brüder. Ihr erinnert euch bestimmt an meine Brüder Jasper und Cash, oder?"

Chance nickte. „Natürlich." Er strich mit der Hand über das bunte Hawaii-Hemd, das er trug. „Offenbar haben wir Brüder alle ganz unterschiedliche Interessen. Die Nashs sind Geschäftsleute. Die Gentrys sind Cowboys. Und die Duran-Brüder hängen gern wie Penner am Strand herum." Er lachte und alle stimmten mit ein.

„Ich würde nicht sagen, dass ihr wie Penner aussieht. Ihr seht für mich wie Männer aus, die im Paradies leben. Bunte kurzärmelige Hemden mit Khakihosen und bequemen Schuhen", sagte Patton und deutete auf den runden Tisch. „Gentlemen, ihr findet eure Stühle mithilfe der Platzkarten. Lasst uns anfangen und Ideen austauschen."

Mein Herz raste, als wir alle unsere Plätze einnahmen. Die Idee, an einem runden Tisch zu sitzen, gefiel mir gut. Es gab mir das Gefühl, als wären wir alle ebenbürtig, sodass keiner den anderen beherrschte.

Tyrell eröffnete das Meeting. „Also, könnt ihr uns mehr über euren Ozean-Energieplan erzählen?"

Ich sah Chance an, um dem Jüngsten meiner Brüder die Möglichkeit zu geben, zuerst sein Glück zu versuchen.

„Chance, möchtest du bei dieser Diskussion den Anfang machen?"

„Sicher, großer Bruder." Er war nicht so wortgewandt wie Chase und ich. Er und Callan hatten beide eine direkte Art, also hielt ich es für das Beste, dass sie mit unseren Cousins redeten, zumindest um das Gespräch in Gang zu bringen. „Das, was wir bauen möchten, lässt sich am einfachsten so beschreiben." Mit seinen Händen fing er an, Wellen nachzuahmen. „Wellen hören nie auf, sich im Ozean zu bewegen. Das wissen wir alle ganz genau. Und alles, was sich bewegt, erzeugt Energie. Diese Energie kann gespeichert und genutzt werden."

Callen übernahm. „Klingt einfach, ich weiß. Aber es ist alles andere als das. Wisst ihr, das Meer ist manchmal wirklich launisch. Innerhalb eines Herzschlags kann aus relativer Ruhe ein Inferno werden. Und darin liegt das Problem."

„Die Menschen haben schon früher Maschinen gebaut, um mithilfe des Ozeans Strom zu erzeugen", fügte Chase hinzu. „Es ist nicht so, dass es grundsätzlich an Ideen mangelt. Es mangelt allerdings an Ideen, die funktionieren. Niemand möchte jedes Mal, wenn ein Hurrikan vorbeizieht und wertvolle Geräte zerstört, astronomische Summen verlieren."

„Natürlich nicht", stimmte Jasper ihm zu und nickte. „Ihr müsst uns also zeigen, wie unser Unternehmen damit Gewinn machen kann, anstatt Verlust."

Es war an der Zeit, dass ich etwas sagte. „Wir werden auf Materialien verzichten, die sich verbiegen und zerstören lassen. Das bedeutet, dass wir zum Beispiel Silikon, Latex, Polypropylen, Polyethylen und Harz verwenden. Diese Materialien sind biegsam und können so verarbeitet werden, dass sie Zusammenstöße überstehen, ohne auseinanderzubrechen."

Chase interessierte sich sehr für dieses Thema, also ergriff er das Wort. „Auch die Reparaturen an solchen Materialien sind einfach. Man muss sie dafür ans Ufer bringen, aber das ist keineswegs unmöglich."

Cash fragte: „Ist es euch schon gelungen, Prototypen zu bauen?"

Wir hatten keine Zeit gehabt, irgendetwas zu tun, da wir immer noch unsere aktuellen Jobs hatten, die fast unsere ganze Aufmerksamkeit forderten. Also beantwortete ich seine Frage ehrlich. „Cash, wir arbeiten zehn bis vierzehn Stunden am Tag bei Mantabo Industries in Brownsville. Seit über einem Jahr bitte ich um eine Auszeit oder zumindest kürzere Arbeitstage. Aber unser Chef will, dass wir all unsere Zeit mit der Entwicklung von Waffen verbringen."

Jasper wirkte neugierig, als er seine Finger verschränkte und sein Kinn darauf legte. „Ihr stellt Waffen her?"

„So ähnlich." Was wir entwarfen, war viel umfangreicher als nur Waffen. „Wir sind aber nicht berechtigt, darüber zu reden, woran wir arbeiten."

Chase nickte. „Wir alle haben Verträge unterzeichnet, die es uns unmöglich machen, näher auf unsere Aktivitäten im Unternehmen einzugehen. Also fragt uns bitte nicht danach."

„Wie wollt ihr dann an euren eigenen Projekten arbeiten?", fragte Cohen.

Ich hoffte, es wäre nicht zu viel verlangt, aber ich musste darum bitten. „Wir müssten in der Lage sein, unsere Jobs bei Mantabo zu kündigen. Das würde bedeuten, dass unsere Gehälter in die Kreditsumme einfließen müssten." Ich schluckte und betete, dass das, was ich als Nächstes sagen wollte, nicht zu gierig klang. „Für die nächsten fünf Jahre."

Tyrell nickte. „Natürlich."

Ich konnte kaum glauben, dass er so bereitwillig zugestimmt hatte. Darüber hatte ich mir mehr Sorgen gemacht als über alles andere. „Nun, das ist eine Erleichterung."

Baldwyn lächelte wissend. „Bei jedem Darlehen, das wir vergeben, ist Geld enthalten, von dem der Kreditnehmer leben kann. Und wir kümmern uns auch gerne um eure

Wohnsituation, damit ihr euch voll und ganz auf euer Projekt konzentrieren könnt. Wir bezahlen eure Rechnungen. Ihr müsst nichts anderes tun, als eure Arbeit zu machen."

Das klang zu gut, um wahr zu sein. „Warte kurz." Ich wollte nicht habgierig erscheinen. „Wir wollen hier niemanden ausnutzen."

Tyrell lachte nur und der Klang seiner tiefen Stimme erfüllte den Raum, als er sagte: „Ihr nutzt niemanden aus, Cayce. Seht ihr, wir sind alle ein Team. Wir teilen alle Gewinne, die durch unsere jeweiligen Geschäfte erzielt werden. Und das werden wir auch weiterhin tun, wenn uns eure Geschäftsidee Geld einbringt."

„Sie kann viel mehr, als nur Geld einzubringen, Tyrell", sagte Chance. „Sie wird die Welt verändern, wenn wir die Entwicklung abgeschlossen haben. Wir können unsere Geräte weltweit zum Verkauf anbieten. Und wir können sie immer weiter verbessern."

Baldwyn und Tyrell sahen einander ernst an, bevor Baldwyn fragte: „Seid ihr langfristig dabei? Das müssen wir wissen. Wenn es eine vorübergehende Sache ist, wollen wir nichts damit zu tun haben. Aber wenn ihr das für den Rest eurer Karriere tun möchtet, können wir darüber nachdenken, euch dabei zu unterstützen."

„Es ist mein Traum", sagte ich schnell. „Es ist unser aller Traum. Und es wäre ein Privileg, für den Rest unseres Lebens daran zu arbeiten."

Stone sah jeden meiner Brüder an, als er fragte: „Ist das so?"

Alle nickten und dann fügte Callan hinzu: „Ihr habt keine Ahnung, wie viel Leidenschaft wir für dieses Projekt haben. Wir verdienen dort, wo wir jetzt sind, viel Geld. Es geht aber nicht um Geld. Es geht darum, Menschen zu helfen und Energie aus etwas zu gewinnen, das uns allen zur Verfügung steht, aber von viel zu wenigen genutzt wird."

„Von manchen schon", stellte Cash fest. „Könnt ihr uns

etwas über die Versuche erzählen, mit denen ihr bisher Erfolg hattet?"

Chase war derjenige, der diese Frage beantwortete. „Es gibt bereits mehrere Erfindungen, die zurzeit weiterentwickelt werden, zum Beispiel eine Punktabsorberboje. Wie alle Bojen ist sie am Meeresgrund verankert. Sie verwandelt die Bewegung der Wellen in Energie, die in einem Generator gespeichert und dann an Land in ein Netzsystem geleitet wird. Aber auch sie kann bei einem Sturm in Stücke gerissen werden."

„Klingt beängstigend", sagte Warner und schüttelte den Kopf. „Wir könnten dabei jede Menge Geld verlieren."

Mein Herz hörte auf zu schlagen, als sowohl die Gentry-Brüder als auch die Nash-Brüder zustimmend nickten. Ich bekam kaum Luft, weil ich sicher war, dass sie uns eine Absage erteilen würden.

„Zeit für eine Abstimmung", sagte Jasper. „Hebt die Hand, wenn ihr der Meinung seid, dass wir diesen Männern die Chance geben sollten, das Leben auf diesem Planeten nachhaltig zu verbessern."

Einer nach dem anderen hob die Hand. Schließlich stieß ich den Atem aus, den ich angehalten hatte. „Gott sei Dank."

Meine Brüder und ich verließen das Meeting mit dem Gefühl, dass nichts von all dem real war. Innerhalb einer Woche würde jeder von uns zwei Milliarden Dollar auf seinem privaten Bankkonto haben. Bis Ende der Woche würde ein Geschäftskonto für unser neues Unternehmen, Whispering Waves Electric Company, eröffnet werden. Wir hatten zwanzig Milliarden Dollar für unser Projekt zur Verfügung – und das war nur der Anfang.

Baldwyns Frau Sloan würde sich daran machen, Häuser für jeden von uns zu entwerfen. Unsere Cousins hatten uns damit beauftragt, Grundstücke zu finden, auf denen wir unsere Häuser bauen wollten.

Zumindest während der nächsten fünf Jahre würden wir

komplett versorgt sein. Jetzt, da wir mehr Geld hatten, als wir jemals für möglich gehalten hätten, gab es nur noch eine Sache zu erledigen, um unser altes Leben hinter uns zu lassen und das Leben zu beginnen, von dem wir immer geträumt hatten.

Wir mussten unserem Chef mitteilen, dass wir unsere Jobs mit sofortiger Wirkung kündigten. Wir würden nicht mehr für Mantabo Industries arbeiten, nicht einmal einen einzigen Tag. Wir hatten jetzt wichtigere Dinge zu tun.

Ich betete, dass unser Chef es verstehen und uns alles Gute wünschen würde, aber ich wusste, dass das nur ein Hirngespinst war. Der Gründer und CEO des Unternehmens, für das wir arbeiteten, war ein Mann Anfang vierzig, der jede Menge zu beweisen hatte. Niko Armstrong akzeptierte kein Nein als Antwort. Aber das war die Antwort, die er bekommen würde, wenn er verlangte, dass wir unsere Kündigung zurückzogen.

Der Gedanke, auf ein Jahresgehalt in Höhe von fünfhunderttausend Dollar zu verzichten, war uns anfangs nicht leichtgefallen. Aber jetzt, da uns für mindestens fünf Jahre ein paar Milliarden sicher waren, störte uns das nicht mehr.

*Dem Himmel sei Dank für die Gentrys und die Nashs.*

# KAPITEL ZWEI

## ZURIE

*Warum zum Teufel will Niko Armstrong mich sehen?*

Die Arbeit in der Forschungsabteilung von Mantabo Industries hatte mich bisher nicht in die Verlegenheit gebracht, den Gründer und CEO zu treffen. Als ich den Anruf bekommen hatte, dass ich in sein Büro kommen sollte, hatte ich sofort das Schlimmste angenommen.

*Ich werde gefeuert.*

Aber wofür?

Ich hatte nichts falsch gemacht. Zumindest soweit ich wusste.

Ich stieß mit der Schulter gegen jemanden, an dem ich vorbeieilte, und murmelte eine Entschuldigung. „Tut mir leid."

„Halt."

Ich blieb stehen, drehte mich um und sah, dass mein Vorgesetzter mich mit zusammengekniffenen Augen anstarrte. „Oh, Tommy. Entschuldigung", murmelte ich.

„Wohin gehen Sie so eilig, Zurie?"

„Zu Armstrongs Büro." Ich sah auf den Boden, während sich mein Magen vor Aufregung schmerzhaft zusammenzog.

*Ich darf diesen Job nicht verlieren.*

Tommy kam näher zu mir. Seine Augen waren jetzt weit aufgerissen und besorgt. „Hat er nach Ihnen gefragt?"

Ich nickte und rang meine Hände. Selbst er wusste, dass es nicht gut war, in das Büro unseres Chefs gerufen zu werden. „Ich habe keine Ahnung, was er will. Ich weiß nicht, was ich falsch gemacht habe."

„Sie haben gar nichts falsch gemacht. Ich bin Ihr Vorgesetzter. Sie müssten *mir* Rede und Antwort stehen, wenn Sie einen Fehler gemacht hätten." Er seufzte, während er sich in den Nasenrücken kniff. „Das gefällt mir überhaupt nicht."

„Mir auch nicht." Ich wollte meinen Chef nicht noch wütender machen, als er ohnehin schon sein würde. „Ich muss los, Tommy. Ich hoffe, dass ich die Gelegenheit bekomme, Sie wissen zu lassen, was los ist."

„Ja, Sie sollten ihn nicht warten lassen."

Als ich mich zum Gehen wandte, spürte ich seine Hand auf meiner Schulter. Ich drehte mich um und fragte: „Wollen Sie mir noch etwas sagen?"

„Gibt es etwas, das *Sie* mir sagen wollen?"

„Ich habe keinen Fehler gemacht, Tommy. Das schwöre ich Ihnen." Ich konnte ihm nicht verübeln, dass er nachfragte.

„Okay. Nun, dann gehen Sie in sein Büro und versuchen Sie, die Fassung zu bewahren. Der Mann hasst Schwäche. Zeigen Sie nicht, dass Sie Angst haben. Kopf hoch, Schultern zurück, positive Einstellung. Sie haben nichts falsch gemacht. So müssen Sie auch wirken."

Ich straffte meine Schultern, holte tief Luft und versuchte, mich zu beruhigen. „Ja, ich habe nichts falsch gemacht. Er kann mir nichts tun, wenn ich nichts zu verbergen habe. Danke." Ich drehte mich um, ging langsamer und fühlte mich weniger hektisch als zuvor.

*Ich bin unschuldig und habe nichts zu befürchten.*

Selbstvertrauen erfüllte mich – bis ich in seinem Büro

ankam und den Schreibtisch seiner persönlichen Assistentin leer vorfand.

„Scheiße. Wir werden allein sein."

Ich wusste, dass das schlecht war. Ich konnte spüren, wie mir ein Schauer über den Rücken lief.

Niko Armstrong war ein einschüchternder Mann. Groß und muskulös, mit markanten Gesichtszügen, die an einen Wikinger erinnerten, leitete er die Waffenabteilung von Mantabo. Der Mann war streng, stoisch und knallhart.

*Und er will mich in seinem Büro sehen.*

Mir war flau im Magen, als ich an die Tür klopfte. „Ich bin's, Zurie Nala, Mr. Armstrong."

Die Tür öffnete sich summend. Zuerst sah ich nur schwarze Leere. Dann, als die Tür weiter aufging, bemerkte ich einen großen Schreibtisch aus Edelstahl. Ich hatte das unheimliche Gefühl, dass Niko gerne Lämmer auf diesem Schreibtisch schlachte. Er wirkte wie etwas aus einem Schlachthaus und war ganz anders als die übliche Büroeinrichtung.

Meine Augen nahmen eine Bewegung in der Ecke des Raumes wahr. Dann tauchte eine riesige Gestalt auf. „Sie haben sich Zeit damit gelassen, zu mir zu kommen, Zurie."

Ich trat ein und versuchte mein Bestes, um meine Schultern zu straffen und meinen Kopf hoch zu halten. „Ich bin gekommen, sobald ich konnte, Sir." Ich musste mich immer wieder daran erinnern, dass ich nichts getan hatte, um diesen Besuch zu rechtfertigen.

Die schwarze Jacke seines Anzugs hing über der Lehne eines langen roten Sofas. Er trug ein weißes Hemd und die Ärmel waren bis zu den Ellbogen hochgekrempelt, was seine muskulösen Unterarme zur Geltung brachte. Es war mir egal, wie behaart sie waren. Ich war schließlich nicht hier, um ihn zu begutachten.

Ich riss meine Augen von ihm los und suchte den Raum ab. „Sie sollten Platz nehmen, Zurie", schlug er vor.

Ich ging zu einem Stuhl, der mit seiner geraden hölzernen Rückenlehne und ganz ohne Polster sehr unbequem aussah, und setzte mich. Ich dachte, der unbequeme Platz würde mir dabei helfen, aufrecht zu sitzen. Ich sah direkt in die eisblauen Augen meines Chefs und fragte: „Warum haben Sie mich gerufen, Sir?"

Er lehnte sich an seinen Schreibtisch, streckte seine langen Beine vor sich aus und verschränkte die Arme über seiner breiten Brust. Erst jetzt bemerkte ich, dass die obersten Knöpfe seines Hemds offen waren und ein Büschel schwarzer Haare hervorquoll und auf seinen dunklen Bart traf.

*Der Mann ist so behaart wie ein Bär.*

„Sie sind ganz schön direkt, nicht wahr?"

Ich wollte nicht schwach wirken, da Tommy gesagt hatte, dass Niko das hasste. Also zog ich eine Augenbraue hoch. „Ich komme gern zum Punkt."

„Also gut. Dann tue ich das auch, Zurie Nala. Ich weiß von Ihrem Exverlobten Reece Andrews. Er und ich haben den gleichen Status in dieser Stadt."

„Sie sind beide Milliardäre", erwiderte ich. „Ja, ich weiß." Was ich nicht wusste, war, was das damit zu tun hatte, dass ich in sein Büro gerufen worden war. „Was ist damit?"

Er richtete sich auf und ging langsam um seinen Schreibtisch herum, um sich dahinter zu setzen. Der rote Ohrensessel aus Leder umrahmte ihn auf beiden Seiten und hüllte ihn wie ein roter Umhang ein. Irgendwie sah er dadurch noch mächtiger aus.

„Sie waren ein Jahr lang verlobt. Davor waren Sie zwei Jahre zusammen. In dieser Zeit haben Sie sich sicher daran gewöhnt, Geld zu haben und jederzeit kaufen zu können, was Sie wollen."

„Ich bin nicht verwöhnt, Mr. Armstrong, wenn Sie das meinen." Ich hatte es gemocht, Geld zu haben – wie jeder andere auch. Aber es hatte mich in keiner Weise definiert.

„Ich weiß, dass Sie aus der Villa auf seinem Anwesen in eine winzige Single-Wohnung in der Stadt gezogen sind. Sie haben einen Mercedes gefahren, den er Ihnen überlassen hatte, und jetzt fahren Sie einen gebrauchten Kia. Sie haben im letzten Jahr einige drastische Veränderungen durchgemacht, seit Sie und er sich getrennt haben. Ich kann Ihnen dabei helfen, ein wenig von Ihrem alten Lebensstil wiederzuerlangen. Ich biete Ihnen keine Milliarden an, aber eine Million Dollar."

*Hoffentlich verlangt er nicht, dass ich Sex mit ihm habe. Igitt!*

Ich wollte nicht fragen. Ich wollte nicht einmal darüber nachdenken, was er von mir für so viel Geld wollte. Aber mein Mund öffnete sich trotzdem und die Worte kamen heraus. „Was muss ich tun, um das Geld zu bekommen?"

Obwohl *ich* das Geld nicht brauchte oder wollte, brauchten es meine Mutter und meine Schwester zu Hause in Pretoria, Südafrika, dringend. Ich hatte immer so viel Geld wie möglich nach Hause geschickt.

Meine Schwester war behindert geboren worden, sowohl geistig als auch körperlich. Sie war nur zwei Jahre jünger als ich und unsere Mutter hatte es schwer gehabt, für uns beide zu sorgen. Dad hatte uns nicht lange nach Antiquas Geburt verlassen. Sie war ihm zu viel gewesen, besonders wenn sie manchmal stundenlang weinte.

Nach einem Sturz musste meine Schwester nun an ihrer rechten Hüfte operiert werden. Trotz unserer Krankenversicherung waren die Kosten für die Operation und die Pflege, die sie brauchte, höher, als unsere Mutter es sich leisten konnte.

Auch Mom musste operiert werden. Ihre Augen waren schlecht geworden – grauer Star. Sie war fast blind. Aber sie hatte kein Geld dafür. Eine Million Dollar würde beiden die nötigen Operationen ermöglichen.

*Ich muss tun, was er will – für meine Familie.*

„Kennen Sie die Duran-Brüder, die hier arbeiten?"

„Ich *kenne* keinen von ihnen, aber ich habe von ihnen gehört."

„Cayce Duran ist der Älteste der vier Brüder. Er wird Ihre Zielperson sein."

*Zielperson?*

Das klang für mich überhaupt nicht gut. „Ich bin keine Mörderin, Sir."

„Seien Sie nicht albern. Ich bin auch kein Mörder."

*Seltsam. Er sieht so aus, als könnte er definitiv einer sein.*

„Bitte erklären Sie es mir."

„Cayce und seine Brüder haben vor ein paar Tagen ihre Jobs hier gekündigt. Sie haben irgendwie einen Kredit aufgenommen, um an Ihrer lächerlichen Idee zu arbeiten, Strom aus dem Meer zu gewinnen. Sie sind mir schon seit einiger Zeit damit auf die Nerven gegangen, aber ich wollte nichts davon hören. Es ist sowieso völlig absurd und weder meine Zeit noch mein Geld wert."

„Was kümmert es Sie, wenn sie daran arbeiten wollen, anstatt Waffen zu entwickeln?" Ich sah keine Notwendigkeit, jemanden wegen so etwas anzugreifen. Tatsächlich fand ich ihre Idee ziemlich brillant.

Sobald ich meinen Satz beendet hatte, schlug seine Faust auf den Metalltisch und ein schrecklicher Knall erreichte meine Ohren. „Ich stelle hier die Fragen!", brüllte er mich an. Sein Gesicht war rot vor Wut.

Nickend schwieg ich – ich wollte mich nicht entschuldigen.

Ich sah, wie die Röte nachließ, und dann sagte er mit ruhiger Stimme: „Sie wissen zu viel. Ich kann sie nicht gehen lassen. Ich will sie zurück, und zwar so schnell wie möglich."

Jeder, der bei Mantabo arbeitete, musste eine Geheimhaltungsvereinbarung unterschreiben, die besagte, dass wir niemandem erzählen durften, was in diesen Mauern vor sich ging. Warum er dachte, dass diese Männer Firmengeheimnisse preisgeben würden, wusste ich nicht. Aber ich würde auch nicht danach fragen. „Und Sie wollen, dass *ich* dafür sorge?"

„Ja. Ich will, dass Sie Cayce Duran ins Visier nehmen. Ich will, dass Sie etwas finden, womit wir ihn erpressen können. Sobald das erledigt ist, werden Sie ihm sagen, dass er seine Brüder zurückholen muss, damit alle vier weiterhin hier arbeiten."

Ich musste auf etwas hinweisen. „Bei allem Respekt, Sir, wie soll *ich* das erreichen? Ich arbeite in der Forschungsabteilung. Warum sollte ausgerechnet ich jemanden dazu erpressen wollen, wieder hier tätig zu sein? Er wird ahnen, dass Sie dahinterstecken."

„Ich weiß." Er grinste und entblößte scharfe Schneidezähne. Ich war mir ziemlich sicher, dass er sie hatte schärfen lassen, damit sie so aussahen. „Er soll wissen, dass ich Ihnen befohlen habe, das zu tun. Sonst wird er es nicht ernst nehmen. Wenn ich ihn dazu bringen könnte, etwas zu tun, womit ich ihn erpressen kann, würde ich es selbst machen. Aber als Frau wird es Ihnen viel leichter fallen, ihn zu Dingen zu verleiten, die gegen ihn verwendet werden können."

„Warum ich?" Ich musste diese Frage stellen. Es gab andere Frauen im Unternehmen. Warum hatte er mich für diese schreckliche Sache ausgewählt?

„Ist Ihnen nicht klar, wie schön Sie sind, Zurie? Ihre langen, seidigen silberblonden Haare sind verdammt verführerisch. Und Ihre dunklen Augen verleihen Ihnen eine gefährliche Ausstrahlung, während Ihre zarte elfenbeinfarbene Haut Sie fast wie einen Engel aussehen lässt. Sie sind eine perfekte Mischung aus Dunkelheit und Licht. Sie sind schön genug, um ihn einzufangen, und so gefährlich, dass er ernst nimmt, was Sie ihm sagen."

Mein Aussehen war noch nie so beschrieben worden. „Sie setzen viel Vertrauen in mich. Aber ich bin mir nicht sicher, ob ich das schaffen kann." Ich wollte so etwas nicht tun. Aber ich brauchte das Geld.

„Sie schaffen das, Zurie. Ich weiß, dass Sie es können. Spielen Sie ihm einfach etwas vor. Tun Sie so, als wären Sie jemand anderes. Sie haben Schauspieltalent, oder?"

Ich hatte so etwas noch nie zuvor getan. Mom und Antiqua kamen mir in den Sinn. Beide würden die Stirn runzeln bei dem Gedanken, dass ich jemanden täuschte, aber sie brauchten dringend Hilfe. Und Geld. „Ich kann es. Ich werde es tun, Mr. Armstrong."

„Nennen Sie mich Niko, Zurie. Schließlich werden wir eng zusammenarbeiten. Sie verstehen bestimmt, dass Sie mit niemandem darüber sprechen dürfen."

Ich nickte und wusste, dass es ein großes Geheimnis war.

*Wie kann ich diesen Cayce Duran dazu bringen, etwas Unangemessenes oder Illegales zu tun, mit dem ich ihn erpressen kann?*

# KAPITEL DREI

CAYCE

*Heilige Scheiße! Wer ist sie?*

Ich saß am Tresen desselben Cafés, in dem ich seit einem
Jahr fast jeden Tag frühstückte. Aber dies war das erste Mal,
dass eine Frau hereinkam und mich von dem Moment an
fesselte, als ich sie sah.

Sie hatte den Körper einer professionellen Tänzerin –
geschmeidig und anmutig, ohne es auch nur zu versuchen.
Lange, seidenglatte silberne Haare bewegten sich in Wellen um
ihre Schultern. Ihre dunklen Augen waren am auffälligsten,
aber alles an ihr erregte zu einem gewissen Grad
Aufmerksamkeit.

Ich hatte diese Haarfarbe schon bei anderen Frauen
gesehen und sie nicht attraktiv gefunden. Aber an ihr war sie
wunderschön. Vielleicht lag es daran, dass ihre makellose Haut
die Farbe von Elfenbein hatte. Oder daran, dass ihre silbernen
Haare einen dramatischen Kontrast zu ihren sündig schwarzen
Augen bildeten. Augen, die von dichten, dunklen Wimpern
umgeben waren. Augen, die mich überhaupt nicht zu
bemerken schienen.

Sie nahm den leeren Platz direkt neben mir am Tresen ein.

„Schwarzer Kaffee."

Jean, die Kellnerin, stellte ihr eine Tasse hin und reichte ihr dann die Speisekarte. „Was kann ich Ihnen heute Morgen bringen?"

Die wunderschöne Frau zeigte auf etwas auf der Speisekarte und griff dann nach dem Kaffee. Sie spitzte die Lippen, die mit einem glänzend violetten Lippenstift geschminkt waren, und blies auf die Oberfläche, sodass der Dampf über die Tasse wirbelte.

Da ich sie nicht ständig anstarren wollte, beobachtete ich das alles aus dem Augenwinkel. Es sah mir nicht ähnlich, so fasziniert zu sein. Plötzlich fiel mir auf, dass mein Mund offenstand, also schloss ich ihn schnell. Ich wischte mir über die Unterlippe, um sicherzugehen, dass kein Speichel daran hing.

*Oh Gott, was für ein Amateur.*

Ich hätte mich nicht als den elegantesten Mann der Welt bezeichnet. Aber ich war auch nicht so idiotisch, wie ich mich gerade verhielt. So sehr ich es auch versuchte, mir fiel nichts ein, was ich zu ihr sagen könnte, um ein Gespräch zu beginnen.

Die junge Frau schaute auf ihr Handy und scrollte darauf herum. Nach ein paar Minuten kam Jean mit zwei Tellern zurück. Sie stellte sie vor uns und lächelte. „Hier, bitte."

Wir hatten das Gleiche bestellt. Die hypnotisierende Frau sah mich endlich mit einem Lächeln an. „Anscheinend essen wir gerne das Gleiche zum Frühstück."

Meine Ohren hörten, dass sie mit mir sprach, aber es dauerte einen Moment, bis mein Gehirn es verarbeitete, weil ich nur in ihre erstaunlichen Augen blicken konnte. Sie waren so dunkel wie ein mondloser Nachthimmel und voller Geheimnisse.

„Wurst ist immer gut."

*Jetzt klinge ich auch noch wie ein Idiot!*

„Ich meine, zum Frühstück mag ich Wurst sehr gern."

„Ich auch." Sie nahm ihre Gabel und schnitt in ihr Käseomelett. „Ich versuche, mich so gut es geht von Milchprodukten fernzuhalten. Davon bekommt man Cellulite, wissen Sie. Aber einmal im Monat gönne ich mir mein Lieblingsfrühstück – ein Käseomelett."

Ich konnte mir nicht vorstellen, dass Cellulite es wagen würde, sich auf ihrem perfekten Körper zu zeigen. „Sie scheinen sehr gut auf sich Acht zu geben."

„Ich versuche es." Sie musterte mich von oben bis unten. „Sie sehen aus, als würden Sie trainieren."

„Fünf Tage die Woche. Die Wochenenden nehme ich mir frei. Samstag ist Meditationstag und am Sonntag esse ich alles, wonach mir der Sinn steht."

Ich stellte mir vor, wie wir beide aneinandergeschmiegt auf meinem Sofa saßen, während ein Feuer im Kamin prasselte und leise Musik durch die Luft wehte. Als mein Schwanz sich zwischen meinen Beinen regte, musste ich fragen: „Möchten Sie mir am Wochenende Gesellschaft leisten?"

„Wow." Sie schüttelte den Kopf. „Wir kennen noch nicht einmal den Namen des jeweils anderen und Sie bitten mich schon, das Wochenende mit Ihnen zu verbringen."

*Autsch!*

„So habe ich das nicht gemeint." Ich hatte es so gemeint, aber jetzt bereute ich, es gesagt zu haben. „Lassen Sie uns noch einmal von vorne anfangen. Mein Name ist Cayce Duran. Und Sie sind?"

„Zurie." Sie schien ihren Nachnamen nicht nennen zu wollen.

„Okay, Zurie. Cooler Name übrigens." Ich trank einen großen Schluck aus meiner Wasserflasche und versuchte, an andere Dinge zu denken, die ich sagen könnte, ohne sie zu beleidigen.

„Danke", sagte sie, bevor sie sich wieder ihrem Teller zuwandte. Während sie ihr Frühstück fortsetzte, schien sie zu versuchen, mich zu ignorieren.

Ich wollte nicht aufdringlich sein, aber ich bezweifelte, dass ich ihr jemals wieder begegnen würde. Diese Chance wollte ich mir nicht entgehen lassen. Aber wieder einmal hatte ich keine Ahnung, was ich sagen sollte. Also aß ich einfach mein Frühstück, während ich versuchte, mir etwas Witziges einfallen zu lassen.

Jean kam, um Zuries Kaffeetasse nachzufüllen. „Schöner Morgen, nicht wahr? Was haben Sie für Ihren Tag geplant, Miss?"

„Zuerst will ich am Strand joggen gehen", sagte Zurie und deutete auf die Sportkleidung, die sie trug.

Endlich konnte ich etwas sagen. „Ich sehe mir nach dem Frühstück ein Grundstück dort an."

Jean und Zurie starrten mich an, als wäre das, was ich gesagt hatte, irgendwie seltsam, aber das fand ich überhaupt nicht. An meiner Meinung änderte sich auch nichts, als Jean fragte: „Du bist fast fertig, Cayce. Soll ich dir die Rechnung bringen?"

Ich wollte noch nicht gehen. „Nein. Ich hätte gerne ein Glas Orangensaft. Ich brauche Vitamin C."

„Komisch, das hast du noch nie bestellt." Ich war in Brownsville, Texas, aufgewachsen und Jean und ich waren zusammen zur Highschool gegangen. Sie war ein paar Jahre älter als ich und hatte kein Problem damit, mir die Meinung zu sagen.

„Kennen Sie sich?", fragte Zurie Jean.

„Wir stammen aus derselben Gegend und sind zusammen zur Schule gegangen", sagte Jean, als sie meinen Saft holte.

Zurie hatte einen ziemlich einzigartigen Akzent, also fragte ich: „Woher kommen Sie, Zurie?"

„Ich bin vor einigen Jahren aus Pretoria in Südafrika hierher nach Brownsville gezogen."

„Mit Ihrer Familie?" Ich vermutete, dass sie Mitte bis Ende zwanzig war und ihr Heimatland wahrscheinlich nicht allein verlassen hatte.

„Nein. Meine Mutter und meine Schwester sind dortgeblieben."

„Was hat Sie dazu gebracht, ganz allein nach Texas zu ziehen?" Ich wusste, dass es einen ernsten Grund dafür geben musste, wenn sie ihre Familie zurückgelassen hatte.

„Ich wollte schon immer in Texas leben", sagte sie mit einem Lächeln. „Und ich liebe den Strand. Also habe ich mir eine Karte von Texas angesehen und den Ort ausgewählt, der am besten zu mir passt."

Das konnte ich kaum glauben. „Also sind Sie eines Tages aufgestanden und haben beschlossen, ganz allein hierherzuziehen? Und Sie hatten keine Ahnung, was Sie nach Ihrer Ankunft tun würden?" Ich wusste, dass ich neugierig war, aber ich konnte nicht anders, als zu fragen: „Arbeiten Sie freiberuflich oder so?"

„Ja", antwortete sie knapp, bevor sie den letzten Bissen ihres Essens kaute und sich dann mit der Serviette den Mund abwischte. „Und was machen Sie, Cayce?"

„Ich habe in einer großen Firma hier in der Stadt gearbeitet. Aber vor Kurzem habe ich gekündigt. Meine Brüder und ich arbeiten jetzt an unserem eigenen Projekt. Deshalb gehe ich nachher zum Strand. Ich treffe mich mit einem Makler, um mir ein Grundstück anzusehen, auf dem wir bauen können."

Endlich schien sie interessiert an dem zu sein, was ich zu sagen hatte, und drehte ihren Stuhl zu mir. „Woran arbeiten Sie und Ihre Brüder?"

Ich hatte mich noch nie gescheut, über unseren Traum zu sprechen, also drehte ich mich zu ihr. „Wir entwickeln Geräte, die Strom aus Meereswellen erzeugen."

Ihre Augen weiteten sich, als sich ihre Lippen zu einem Lächeln verzogen. „Also sind Sie schlau."

„Ich bin ziemlich clever und meine Brüder auch."

Jean stellte das Glas Orangensaft auf den Tresen. „Bitte,

Cayce. Und warum hast du nichts davon gesagt, dass du deinen Job gekündigt hast?"

Ich zuckte mit den Schultern und wusste nicht, warum ich das für mich behalten hatte. „Ich glaube, ich war abgelenkt von all den Dingen, die wir erledigen müssen. Außerdem geht es bei unseren Gesprächen normalerweise darum, was ich essen möchte, nicht darum, was ich mit meinem Leben mache, Jean."

Jean stemmte die Hände in die Hüften und fragte: „Wann hast du bei Mantabo aufgehört?"

„Vor drei Tagen." Es war nicht leicht gewesen. Wir hatten Niko Armstrong persönlich einen Besuch abstatten müssen, um ihm mitzuteilen, dass wir seine Firma verlassen würden. Er war nicht glücklich über unsere Kündigung gewesen.

„Ich wette, Armstrong war sauer", sagte Jean und nickte wissend. Er hasste jeden, der das Unternehmen verließ. „Als mein Mann dort seinen Job als Hausmeister gekündigt hat, hat Armstrong gedroht, ihn auszuweiden, wenn er jemals ein Wort darüber verliert, was im Unternehmen vor sich geht."

Zurie beugte sich zu mir. „Was geht dort vor?"

Ich wusste, dass ich niemandem etwas darüber erzählen durfte. Und bevor ich ein Wort sagen konnte, antwortete Jean: „Er wird Ihnen nichts verraten, meine Liebe. Mein Mann wollte nicht einmal mir sagen, was sie dort gemacht haben. Niko Armstrong ist in etwas involviert, von dem niemand wissen soll. Und er bewacht diese Geheimnisse wie ein Drache seine gestohlenen Schätze."

„Zu Nikos Verteidigung muss ich sagen, dass es ihn Milliarden, wenn nicht Billionen kosten würde, wenn etwas über die Waffen durchsickert, die dort hergestellt werden. Er bezahlt seine Leute sehr gut und dann sind da noch die Kosten für die verwendeten Materialien. Manche Erfindungen erweisen sich als nicht nutzbar und müssen verschrottet werden." Ich verstand, warum die Geheimnisse gehütet werden mussten. „Man kann nicht bei jedem darauf vertrauen, dass er sich an die Vereinbarungen hält, die er unterzeichnet hat. Aber meinen Brüdern und mir kann man vertrauen. Wir haben nicht vor, Mantabo in irgendeiner Weise zu schaden."

„Womit hat er euch gedroht?", fragte Jean.

Zurie beobachtete mich genau. „Ja, hat er Sie auch bedroht?"

„Ich bin kein Mann, den man bedroht." Ich prahlte nicht. Es war die Wahrheit. Niko wusste genug über mich, um keine Drohungen gegen uns auszusprechen. Er hätte es bitter bereut. „Ich verhandle nicht mit Terroristen."

„Was bedeutet das?", fragte Zurie und musterte mich misstrauisch.

„Ich bin aus hartem Holz geschnitzt. Letztes Jahr dachten ein paar Leute, sie könnten meinen Cousins ziemlich schlimme Dinge antun. Am Ende wurden die Täter zu den Opfern und jetzt sind sie zwei Meter unter der Erde." Ich hatte es in mir, genauso rücksichtslos zu sein wie meine Cousins, die Nash-Brüder. Wenn jemand mich und meine Brüder bedrohte, würde ich ihn unschädlich machen, ohne mit der Wimper zu zucken.

„Zwei Meter unter der Erde?", fragte Zurie und runzelte verwirrt die Stirn.

„Tot", klärte Jean sie auf.

Zurie senkte die Augen und starrte auf den Boden. „Oh."

„Nicht, dass ich jemals zu Gewalt greifen würde, wenn ich einen anderen Ausweg sehe." Ich wollte nicht, dass Zurie mich für eine tickende Zeitbombe hielt. „Ich glaube daran, Menschen mit Argumenten zu überzeugen. Aber bei manchen Leuten sind Argumente sinnlos. Ich bin nur froh, dass Niko Armstrong uns gehen lassen hat, auch wenn er eindeutig gegen unsere Kündigung war. Wenn er etwas davon gesagt hätte, jemanden auszuweiden, hätte das furchtbare Konsequenzen gehabt."

Zurie sah auf und griff in die Vordertasche ihrer Hose. „Was schulde ich Ihnen, Jean?"

„Ich mache das", sagte ich, als ich mein Portemonnaie aus meiner Tasche holte.

„Nein", sagte Zurie und nickte, als sie einen Zwanzig-Dollar-Schein auf den Tresen legte. „Hier, bitte, Jean. Behalten Sie das Wechselgeld."

Jean legte die Rechnung daneben. „Es kostet nur acht Dollar."

Zurie schien es eilig zu haben, als sie aufstand. „Nein, behalten Sie es."

Ich gab Jean auch einen Zwanzig-Dollar-Schein. „Behalte den Rest. Bis morgen." Ich ging hinter Zurie nach draußen und wusste, dass ich sie um ein Date bitten musste. Sonst würde ich mir nie verzeihen. „Hey, Zurie, warten Sie."

Sie blieb an der Tür stehen und drehte sich zu mir um. „Was ist?"

„Möchten Sie irgendwann mit mir ausgehen?"

Sie schüttelte den Kopf und seufzte. „Hören Sie, ich kenne Sie nicht, Cayce. Ich mag die Vorstellung nicht, mit jemandem auszugehen, den ich nicht kenne."

„Wir könnten uns auf einen Drink oder so treffen und uns besser kennenlernen."

Sie drehte sich um und ging zu ihrem Auto. „Ich weiß nicht."

Ich trat neben sie. „Kommen Sie schon. Ich bin harmlos."

„Wie kann ich das sicher wissen?" Sie blieb an einem kleinen silbernen Auto stehen. „Vor allem nach dem, was Sie dort gerade gesagt haben." Sie deutete auf das Café.

„Jean hätte Sie gewarnt, dass Sie sich von mir fernhalten sollen, wenn ich kein netter Kerl wäre." Das war die Wahrheit. Ich konnte nicht anders, als zu lächeln. „Sie mögen die Farbe Silber wirklich gern, hm?"

„Das tue ich wirklich", sagte sie und strich mit ihrer Hand durch ihre seidigen Haare. „Geben Sie mir Ihr Handy, dann speichere ich meine Nummer. Ich sage nicht, dass ich mich irgendwo mit Ihnen treffen werde, aber falls ich in der richtigen Stimmung bin, wenn Sie mir eine SMS schreiben, könnte ich spontan dort auftauchen. Oder vielleicht nicht."

Ich öffnete meine Kontaktliste, gab schnell ihren Namen ein und reichte ihr mein Handy. „Dann hoffe ich auf die richtige Stimmung."

Als sie mir mein Handy zurückgab, zuckte sie mit den Schultern. „Ich schätze, hoffen kann man immer. Wir sehen uns, Cayce."

„Das werden wir ganz bestimmt tun."

# KAPITEL VIER

## ZURIE

Als ich in mein Auto stieg, sah ich Cayce nach, der langsam wegging. Man musste den Körper eines Mannes wertschätzen, wenn er so perfekt war. Cayce Duran war groß, dunkelhaarig und gutaussehend. Er hatte alles.

*Schade, dass Niko es auf ihn abgesehen hat.*

Ich persönlich fand Cayce' Idee großartig. Es war viel wichtiger, neue Methoden zur Stromerzeugung zu entwickeln als neue Waffen. Ich musste ehrlich zu mir darüber sein, was Niko von mir wollte.

*Ich bin vielleicht nicht fähig, Cayce etwas anzutun.*

Es gab eine Seite von mir, die alles tun konnte, was nötig war. Ich hatte es in der Vergangenheit getan. Ich war in ein Flugzeug nach Amerika gestiegen und hatte mir einen gut bezahlten Job gesucht – und ich hatte fast mein ganzes Geld nach Hause geschickt, um meine Mutter und meine Schwester zu unterstützen.

Ich hatte eine günstige Wohnung gefunden. Ich hatte für einen Gebrauchtwagen bar bezahlt. Ich hatte alles getan, was ich tun musste, um den größten Teil meines Gehalts nach

Hause schicken zu können. Nicht viele Leute würden das meiste von dem, wofür sie so hart gearbeitet hatten, hergeben.

Cayce hatte gesagt, dass ich die Farbe Silber mochte. Aber es war nicht so, als hätte ich nach einem silbernen Auto gesucht. Ich hatte zufällig eines gefunden, das zum Verkauf stand und billig war.

Erst nach dem Autokauf hatte ich beschlossen, mein Aussehen zu verändern und mich neu zu erfinden. Ich war schüchtern, still und ziemlich langweilig gewesen, als ich nach Amerika gekommen war. Ich war noch nicht bereit gewesen, mich ganz aus meinem Schneckenhaus herauszuwagen, aber irgendwann hatte ich gedacht, dass es höchste Zeit war, es zu versuchen.

Meine dunklen Haare silbern zu färben hatte einige Zeit gedauert. Monat für Monat hatte ich platinblonde Haarfärbemittel gekauft und sie zu Hause selbst angewendet. Als meine Haare fast weiß geworden waren, hatte ich mir zum ersten Mal etwas gegönnt – einen Termin in einem Friseursalon bei einer Farbspezialistin. Sie hatte dafür gesorgt, dass meine Haare glänzten wie ein brandneuer Cent und ich hatte mich endlich alles andere als langweilig gefühlt.

Mit meinen neuen Haaren war ich Kosmetik kaufen gegangen. Ich hatte nicht viel Geld für Make-up ausgeben wollen, also hatte ich es einfach gehalten: schwarze Mascara, violetter Lippenstift, zartrosa Rouge und getönte Feuchtigkeitscreme. Ich hatte meine kleine Produktkollektion erst vor Kurzem um einen schwarzen Augenbrauenstift und eine Palette mit rosa und lila Lidschatten ergänzt.

Ich hatte gar nicht gemerkt, dass ich mich in jemanden verwandelt hatte, der mit seinem auffälligen Äußeren Männer ansprach. Aber da Niko mich aufgrund meines Aussehens unter all den Frauen, die in der Firma arbeiteten, ausgesucht hatte, musste ich mir eingestehen, dass ich nicht mehr brav und schüchtern wirkte.

Als ich das Interesse in Cayce' dunklen Augen gesehen

hatte, war mir klar geworden, dass ich einen langen Weg zurückgelegt hatte. Und dieser Blick, den ich in seinen Augen gesehen hatte, hatte etwas in mir entzündet.

Das war mir noch nie passiert. Aber es gefiel mir. *Nein, das stimmt nicht ganz.* Ich liebte es.

Reece, mein Ex, hatte sich in mich verliebt, bevor ich meine große Wandlung zu einer sexy Sirene vollzogen hatte. Er hatte die schlichte alte Zurie gemocht. Mit ihm wäre mein Leben so einfach gewesen. Nur hatte ich mich nie Hals über Kopf in ihn verliebt. Ich hatte ihn sehr gern gemocht, aber das war einfach nicht genug gewesen.

Er war sehr nett gewesen. Fürsorglich. Unterstützend. Aber er hatte gewollt, dass ich zu Hause blieb, Babys bekam und Hausfrau wurde. Ich hatte nichts davon gewollt. Er hatte mich immer noch heiraten wollen, auch nachdem ich ihm meine wahren Gefühle gestanden hatte. Ich hatte gewusst, dass er mehr verdient hatte, also hatte ich ihm gesagt, dass unsere Beziehung enden müsste. Ich hatte ihm den Verlobungsring zurückgegeben, seine Wange geküsst und war gegangen. Unsere Trennung war zum Glück freundschaftlich verlaufen.

Auch während unserer Verlobung hatte ich meine winzige Single-Wohnung nie gekündigt. Ich hatte die Miete weiterbezahlt, nur um sicherzugehen, dass ich im Notfall eine eigene Wohnung hatte. Als ich an jenem sonnigen Nachmittag vor etwas mehr als einem Jahr die Villa verlassen hatte und nach Hause gefahren war, hatte ich es mit einem Lächeln im Gesicht getan.

Reece' Anwesen hatte sich für mich nie wie ein Zuhause angefühlt. Die Autos, die er mich fahren ließ, hatten sich nie wie mein Eigentum angefühlt – nicht wirklich. Mein kleiner silberner Kia machte mich glücklich und meine winzige Wohnung war für mich in Ordnung.

Ohne meine Schwester und meine Mutter hätte ich nicht einmal daran gedacht, Cayce zu erpressen. Es war seltsam, dass Niko es so kurz nach der Nachricht, dass meine Schwester und meine Mutter operiert werden mussten, von mir verlangt hatte.

*Aber kann ich das wirklich schaffen?*

So zu tun, als ob ich kein Interesse an Cayce hätte, war nicht einfach. Als er in seinem glänzend schwarzen Truck mit Allradantrieb davonfuhr, stellte ich fest, dass mein Mund leicht offenstand. „Verdammt, er sieht heiß aus!"

Er sah über die Schulter zurück und lächelte mich an, bevor er den Parkplatz verließ.

Ich saß da und fragte mich, ob ich diesen schrecklichen Plan durchziehen könnte. „Will ich das wirklich machen?"

Ich hielt das Lenkrad mit beiden Händen fest umklammert und wusste nicht, was ich tun sollte. Niko würde mich bestimmt feuern, wenn ich nicht tat, was er wollte, und ich konnte es mir nicht leisten, meinen Job zu verlieren.

Mein Handy klingelte und lenkte meine Aufmerksamkeit von meinem Dilemma ab. Das Gesicht meiner Mutter erschien auf dem Bildschirm. Ich nahm den Facetime-Anruf entgegen und versuchte, nicht so verzweifelt auszusehen, wie ich mich fühlte. „Hi, Mom. Wie geht es dir heute?"

„Bei mir ist alles okay, aber deiner Schwester geht es gar nicht gut. Sie ist heute Morgen wieder hingefallen. Sie begreift nicht, dass sie eine Gehhilfe benutzen muss, weil sie sonst immer wieder hinfallen wird." Mit müdem Gesicht seufzte sie. „Ich weiß nicht, was ich mit ihr machen soll."

Meine Schwester brauchte Vollzeitbetreuung. Das konnte ich jetzt sehen. Antiqua selbst zu pflegen hatte unserer Mutter viel abverlangt und es zeigte sich jetzt mehr denn je. „Du weißt, dass du nach der Kataraktoperation jemanden damit beauftragen musst, sich um Antiqua zu kümmern, solange du dich erholst", sagte ich.

„Ein weiterer Grund, warum ich nicht operiert werden kann, Zurie. Kein Geld zu haben bedeutet, dass sich niemand um deine Schwester kümmert. Es gibt keine Hoffnung, dass ich jemals wieder das perfekte Sehvermögen erlange, das ich einmal hatte. Ich weiß nur, dass ich eines Tages meine Augen öffnen und gar nichts mehr sehen werde."

Mein Herz schmerzte wie immer, wenn sie so verzweifelt klang. „Mom, bitte versuche, die Hoffnung zu bewahren, dass eines Tages alles gut wird. Für uns alle."

„Wie soll ich das tun?" Sie hatte alle Hoffnung verloren. Es stand ihr in ihr ausgemergeltes Gesicht geschrieben.

„Du hast noch mehr abgenommen."

„Ja."

Ich hasste die Tatsache, dass es mit unserer Mutter bergab ging – und zwar schnell. „Wenn ich nach Hause kommen könnte, um dir zu helfen, würde ich es tun."

„Nein. Das Geld, das du nach Hause schickst, ist für uns sehr wichtig, Zurie. Du musst dortbleiben und arbeiten."

„Und was wird aus Antiqua, wenn du dich nicht mehr um sie kümmern kannst?" Ich wusste, dass ich etwas unternehmen musste. „Vielleicht sollte ich einfach wieder zu euch ziehen. Jetzt, da ich Erfahrung in der Forschungsabteilung eines so großen Unternehmens habe, kann ich vielleicht in Pretoria eine ähnliche Stelle finden. Dann hättest du wenigstens ab und zu eine Auszeit."

„Und was ist mit dir, Zurie? Welche Auszeit hättest du, wenn du von der Arbeit nach Hause kommst, nur um dich um deine Schwester zu kümmern? Du musst gut darüber nachdenken, bevor du so etwas sagst."

Ich nickte und wusste, dass ich nicht klar dachte. Ich wollte alles in Ordnung bringen, hatte aber keine Ahnung, wie das gehen sollte. Während der ganzen Zeit, die ich mit Reece zusammen gewesen war, hatte ich nicht zugelassen, dass er meiner Familie auch nur einen Cent gab. Ich hatte fast mein gesamtes Gehalt nach Hause geschickt und das Gefühl gehabt, dass er schon mehr als genug tat, indem er sich um mich kümmerte. Zumal ich es nicht geschafft hatte, ihn so zu lieben, wie er es verdiente.

Ich wollte niemanden ausnutzen. Nicht einmal, wenn es sinnvoll wäre, es zu tun.

*Eine Million Dollar würde dafür sorgen, dass sich jemand um die beiden kümmert, während sie sich erholen.*

Wenn ich einen zweiten Job annehmen müsste, um die Pflegekraft weiterhin zu bezahlen, nachdem die Million aufgebraucht war, dann würde ich es tun.

*Nein! Damit komme ich nicht klar!*

„Mom, ich werde in Zukunft mehr tun, um euch zu helfen." Ich war mir nicht sicher, wie, aber ich wusste, dass ich es herausfinden musste.

„Ich habe nicht angerufen, um dich dazu zu drängen, noch mehr zu tun." Sie schloss die Augen und rieb sich die Stirn. „Es tut mir leid, Zurie. Du tust so viel für uns und ich jammere. Ignoriere mich einfach. Ich bin müde, das ist alles. Ich brauche ein Nickerchen."

Sie brauchte mehr als nur ein Nickerchen. „Du ruhst dich aus und ich lasse mir etwas einfallen. Ich helfe dir, alles zu beschaffen, was ihr beide braucht, und ich helfe dir, jemanden zu finden, der sich um euch kümmert. Du kannst auf mich zählen."

„Du bist so ein guter Mensch. Meine liebe Tochter." Ein Lächeln umspielte ihre schmalen Lippen.

*Nicht, wenn ich tue, was nötig ist, um das Geld zu beschaffen, das ihr braucht.*

Mein Dilemma schien unlösbar. Wenn ich nichts tat, würde meine Familie leiden. Wenn ich etwas tat, würden Cayce und seine Brüder leiden. Und ich würde auch leiden, wenn ich jemanden erpresste.

Auch wenn meine Mutter mich nicht belasten wollte – sie hatte sonst niemanden, an den sie sich wenden konnte. Das wussten wir beide. Ich würde alles tun, was ich tun musste, um ihr und meiner Schwester zu helfen – das wusste ich ohne Zweifel.

„Umarme Antiqua für mich. Und versuche, dir keine

Sorgen zu machen. Ich habe ein gutes Gefühl für die Zukunft. Ich liebe dich und ich melde mich bald wieder."

„Ich liebe dich auch. Pass auf dich auf, Zurie. Bye."

Als ich mein Handy wieder auf den Beifahrersitz legte, spürte ich, wie sich mein Magen verkrampfte, weil ich wusste, dass ich etwas tun würde, das ich mir nie zugetraut hätte. Jemanden zu meinem eigenen Vorteil zu verletzen war mir noch nie in den Sinn gekommen. Aber irgendwie musste ich lernen, mein wahres Ich zu verdrängen und eine Person zu werden, die ich nicht war.

*Schauspielerei. Das ist alles.*

Als ich meine Stirn gegen das Lenkrad drückte, wusste ich, dass es viel mehr war als nur eine Rolle, die ich spielen sollte. Die Dinge, die ich tun würde, würden echte Konsequenzen haben und Menschen schaden.

Aber sie würden meiner Schwester und meiner Mutter die Hilfe verschaffen, die sie dringend brauchten.

*Zwischen allen Stühlen zu sitzen ist verdammt unbequem.*

# KAPITEL FÜNF

## CAYCE

Die Stelle, die mir der Makler gezeigt hatte, war perfekt. Zumindest meiner Meinung nach. Ich musste jedoch erst die Meinung meiner Brüder einholen, bevor ich ein Angebot abgab. Der Nachmittagshimmel war klar und die Möwen schwebten anmutig durch die Luft, als ich auf der Ladefläche meines Trucks lag und darauf wartete, dass sie auf dem Grundstück auftauchten.

Bisher war der Tag gut verlaufen. Ich hatte eine interessante junge Frau kennengelernt und ihre Telefonnummer bekommen. Und ich hatte hoffentlich den Ort gefunden, an dem wir bald bauen würden. *Ja, ein ziemlich guter Tag.*

Chance' Truck raste die Straße entlang und hielt neben meinem, während im Radio der Hardrock-Mist lief, den er so gerne hörte. Ich setzte mich auf und wartete, bis er ausstieg. Meine anderen beiden Brüder waren nicht weit hinter ihm in Callans Auto und parkten ebenfalls neben mir.

Ich sprang von der Heckklappe meines Trucks und machte mich bereit, ihnen das Grundstück zu zeigen. „Hey, Leute."

Chase holte sein Handy aus der Tasche und fing an, Fotos zu machen. „Es ist ziemlich weit draußen."

„Fünfzehn Minuten von der Stadt entfernt", fügte Chance hinzu.

„Ja." Mir gefiel, dass es nicht zu nah an der Stadt war. „Ich denke, das wird uns guttun. Und die Spanner fernhalten."

Callan lachte. „Spanner?"

„Du weißt schon, die neugierigen Leute, die sich gerne in Dinge einmischen, die sie nichts angehen", erklärte ich.

Chase zeigte auf die hohen Sanddünen. „Das gefällt mir. Die Dünen werden den Wind zurückhalten, aber wir haben trotzdem Zugang zum Wasser."

„Lasst mich euch das Beste an diesem Ort zeigen." Als ich sie in die Mitte des Anwesens führte, konnte ich nicht anders, als zu lächeln. „Vor etwa zehn Jahren gab es hier ein Lagerhaus. Alles wurde abtransportiert, aber das Zementfundament ist immer noch da. Und es ist groß genug für das, was wir bauen wollen."

Callan stampfte auf dem Zement herum. „Ich kann keine Risse erkennen. Die Qualität scheint gut zu sein."

„Der Makler sagte mir, dass das Fundament gebaut wurde, um viel Gewicht zu tragen. Es ist etwa zwei Meter tief." Ich dachte wirklich, dass wir das große Los gezogen hatten. „Und es ist noch jede Menge Platz. Wir könnten viel daraus machen."

„Wieviel soll das Grundstück kosten?", fragte Chance.

„Der Kaufpreis ist im sechsstelligen Bereich", sagte ich. „Nun, das ist jetzt in unserem Budget."

„Du klingst, als würdest du uns dazu überreden wollen, dieses Grundstück zu kaufen", sagte Callan. „Aber es ist erst das zweite, das wir uns angesehen haben. Ich denke, wir müssen noch eins besichtigen, bevor wir eine Entscheidung treffen."

„Bin ich der Einzige hier, der endlich anfangen will?" Ich wartete schon eine gefühlte Ewigkeit darauf, unser eigenes

Unternehmen zu gründen und die Arbeit zu machen, die wir schon immer machen wollten. „Ich weiß, dass es eine gute Idee ist, uns weitere Grundstücke anzusehen, Callan. Aber es gibt nicht viele, die unseren Anforderungen genügen. Wir brauchen ein Grundstück am Meer, das groß genug ist, um darauf zu bauen. Und ihr wisst das vielleicht nicht, aber bei den meisten Grundstücken sind jede Menge Regeln und Vorschriften zu beachten. Hier nicht. Wir können hier draußen tun und lassen, was wir wollen, ohne dass uns jemand in die Quere kommt."

Chance war auf die Sanddüne geklettert. „Hey, da draußen ist etwas", rief er.

„Das ist eine Laderampe und daneben eine Bootsrampe. Das Grundstück bietet einfachen Zugang zum Wasser." Ich wusste, dass dieser Ort der richtige für uns war – ich musste sie nur dazu bringen, es auch zu erkennen. „Es ist, als wäre das alles nur für uns gebaut worden."

Chance kam grinsend zurück. „Ich liebe es. Wir können sogar von der Laderampe aus angeln, wenn wir wollen. Ich will es. Und wir müssen keine öffentliche Bootsrampe benutzen, wenn wir unsere Boote ins Wasser lassen. Ich glaube, Cayce hat genau das Richtige für uns gefunden, Leute."

Callan und Chase machten sich auf den Weg zur Sanddüne, um selbst nachzusehen, und ich folgte ihnen mit Chance. Ein menschenleerer Strand lag, so weit das Auge reichte, vor uns. „Hundert Meter davon würden uns gehören."

„Das ist fast so lang wie ein Footballfeld", sagte Chase. „Wir könnten mit so viel Platz wahnsinnig viel machen."

„Ich sehe es genauso wie Cayce", sagte Chance. „Lasst uns dieses Grundstück kaufen, bevor es jemand anderer tut."

Chase sah Callan an. „Ich denke, dass sie recht haben."

Callan warf die Hände in die Luft und gab sich geschlagen. „Okay, Leute. Ihr gewinnt. Ich sehe es ein. Ihr wollt nicht weitersuchen, sondern das hier nehmen."

„Ja." Ich war mir absolut sicher, dass es die richtige Wahl war. „Also sind wir uns alle einig?"

„Ja", sagten alle gleichzeitig.

„Großartig." Ich schickte dem Immobilienmakler unsere Antwort. Er würde überglücklich sein und ich hatte selbst Lust zu feiern. „Was für ein Tag. Wir haben unseren Bauplatz gefunden. Und ich habe jemanden kennengelernt."

„Eine Frau?", fragte Chase, als wir am Strand entlang gingen.

„Ja. Sie ist hinreißend. Cool. Und so schön wie eine Ballerina." Ich hätte ewig über Zurie reden können, aber ich seufzte nur, als ich meine Hände in die Taschen steckte.

Callan zog seine Sonnenbrille herunter, um mir seine gerunzelte Stirn zu zeigen. „Bruder, jetzt ist kein guter Zeitpunkt, um mit irgendjemandem etwas anzufangen. Wir haben jede Menge zu tun."

Chase lachte. „Callan, du kannst nicht erwarten, dass er sein Liebesleben auf Eis legt, nur weil wir gerade sehr beschäftigt sind."

Ich fand es lustig, dass jeder von ihnen dachte, er könnte mir, dem Ältesten, sagen, was ich zu tun und zu lassen hatte. „Es ist nicht so, dass ich mich vor dir rechtfertigen muss, Callan, aber wir dürfen nicht zulassen, dass dieses Projekt unser Privatleben beeinträchtigt. Nicht komplett."

Chance stieß mich mit seiner Schulter an. „Erzähle mir mehr von ihr, großer Bruder."

„Sie hat silberne Haare." Es war verrückt, wie sehr ich ihre Haare bewunderte. „Sie sind lang, seidig und glänzend. Normalerweise stehe ich nicht auf seltsame Haarfarben. Aber dieser Frau steht es unglaublich gut. Ihre Haut ist so makellos wie Porzellan. Und sie trägt violetten Lippenstift. Der Kontrast zwischen der Farbe ihrer Lippen und ihren dunklen Augen ist unbeschreiblich. Und das Liebenswerteste an ihr ist, dass sie sich gar nicht bewusst zu sein scheint, wie attraktiv sie wirklich ist."

Callan verdrehte die Augen. „Großartig, Cayce. Es hört sich so an, als würdest du jetzt schon viel zu oft an dieses

Mädchen denken. Was hast du den ganzen Tag gemacht? Von ihr geträumt? Eure Hochzeit geplant?"

Ich hatte sie mir vorgestellt, aber ich hatte definitiv keine Hochzeit geplant. „Nein. Wie auch immer, sie ist wahnsinnig hübsch und ich mag sie. Und wenn ich sie dazu überreden kann, Zeit mit mir zu verbringen, dann werde ich ganz sicher einen Teil meiner Energie darin investieren."

„Wenn du sie dazu überreden kannst, Zeit mit dir zu verbringen?", wiederholte Chance. „Hast du sie schon um ein Date gebeten?"

„Sie ist ein bisschen misstrauisch, was mich angeht. Aber sie hat mir ihre Telefonnummer gegeben. Sie sagte, ich könnte ihr Beschied sagen, wenn ich das nächste Mal ausgehe, und sie kommt vielleicht vorbei." Ich wusste, dass sich das schlecht anhörte, aber das war alles, was sie mir gegeben hatte.

„Wow", sagte Chase und grinste. „Also hat dich endlich einmal eine Frau abgewiesen. Das muss sich seltsam für dich anfühlen, Cayce."

„Das tut es." Er hatte recht – es kam nicht oft vor, dass ich Ablehnung erfuhr. „Aber ich sehe es nicht so. Sie hat mich nicht komplett abgewiesen. Sie hat mir ihre Nummer gegeben. Und ich habe vor, ihr zu schreiben, dass ich später etwas trinken gehe. Ich bin überglücklich, dass wir uns für dieses Grundstück entschieden haben. Wie wäre es, wenn wir uns später alle bei Hatty's am Strand treffen? Wir können ein bisschen feiern und hoffentlich kommt Zurie vorbei."

Chance schüttelte den Kopf. „Was ist los mit dir? Cayce, du warst immer ein harter Kerl. Jetzt klingst du wie ein Highschool-Schüler, der noch nie ein Date hatte. Das sieht dir überhaupt nicht ähnlich. Du bist ein Mann, der immer sofort die Kontrolle übernimmt."

„Sie ist nicht wie die anderen Frauen, mit denen ich ausgegangen bin. Sie ist anders. Auf eine gute Art. Es macht mir nichts aus, davon abzuweichen, wie ich bisher die Aufmerksamkeit von Frauen gesucht habe. Es ist nicht so, dass ich nicht wieder so ein Mann sein kann – ein Mann, der etwas sieht, das er will, und es sich nimmt."

„Bei ihr hört es sich so an, als könntest du nie wieder so sein", widersprach Callan. „Wenn du dich jetzt so verhältst, wird sie von dir erwarten, dass du es auch weiterhin tust."

Er hatte recht. Ich wusste nicht, was zum Teufel mit mir los war. Ich fuhr mit der Hand durch meine Haare und überlegte kurz, ob ich einen strategischen Fehler gemacht hatte oder nicht. „Scheiße. Ich war ein totales Weichei und bin wie ein verängstigtes Kaninchen um sie herumgehüpft. Alles, woran ich denken konnte, war, sie dazu zu bringen, mit mir auszugehen. Und ich bin ganz anders vorgegangen, als ich es normalerweise tue."

*Oh Gott, ich habe alles ruiniert.*

„Du musst dich nicht weiterhin so verhalten", sagte Chance. „Lade sie heute Abend ein. Vor uns würdest du es nicht wagen, dich wie ein Weichei zu benehmen."

„Aber was ist, wenn sie das abschreckt?" Ich hatte mir noch nie Sorgen gemacht, wie ich mich gegenüber einer Frau verhalten sollte. „Was ist, wenn ich mich normal verhalte und sie mich hasst?"

„Klingt, als hätte sie sowieso nicht viel Interesse an dir", murmelte Callan. „Vielleicht wird sie sich mit dir verabreden, wenn du dich wie du selbst verhältst. Im Moment hört es sich so an, als ob sie nicht wirklich auf dich steht."

Ich musste zugeben, dass er recht hatte, aber ich hasste es. „Verdammt." Ich schüttelte den Kopf, weil ich meinen Fehler nicht laut eingestehen wollte. „Ich weiß nicht, was in mich gefahren ist." Ich zog mein Handy aus der Tasche und schrieb Zurie eine SMS.

**- Wissen Sie, wo Hatty's ist? -**

„Was machst du da?", fragte Chance, als er über meine Schulter sah. „Schreibst du ihr gerade eine SMS?"

„Ja." Ich wollte nicht, dass er sah, was ich geschrieben hatte, also steckte ich mein Handy schnell wieder in die Tasche und hoffte, dass ich bei Zurie bald wieder ich selbst sein konnte.

Wir gingen zurück zu unseren Autos und ich konnte nicht anders, als zu bemerken, dass sie sich Zeit damit ließ, zurückzuschreiben. Es war eine einfache Frage, die nicht schwer zu beantworten sein sollte.

Ich hatte immer mehr den Eindruck, dass sie mir eine Abfuhr erteilen würde. Gerade als ich in meinen Truck stieg, spürte ich, wie das Handy in meiner Tasche vibrierte, und beeilte mich, es herauszuziehen. *Beruhige dich, Dummkopf!*

Als ich mir die Nachricht ansah, die sie zurückgeschickt hatte, bemerkte ich, dass sie die Oberhand hatte.

**- Ich weiß, wo es ist, aber ich mag es nicht. Warum fragen Sie? -**

„Mist." Wenn ich den Ort änderte, an dem wir uns später auf einen Drink trafen, würden meine Brüder wissen, dass ich es nur für sie getan hatte. Aber ich wollte sie sehen, also musste ich aufhören, mich darum zu kümmern, was sie denken würden.

**- Ich gehe später etwas trinken und dachte, Sie möchten vielleicht mitkommen. Wir können uns bei The Beachy Scene treffen, wenn Ihnen das lieber ist. -**

Ich wusste, dass ich unseren Treffpunkt leicht an diesen Ort verlegen konnte, ohne bei meinen Brüdern den Eindruck zu erwecken, dass ich es nur für Zurie tat.

**- Das mag ich auch nicht. Ich will Chicken Wings und vielleicht ein paar eingelegte Gurken und gebratene Pilze in Dilly's Bar and Grill. Was ist mit Ihnen? -**

Ich konnte nicht glauben, dass Zurie einen der wenigen Orte ausgesucht hatte, die meine Brüder und ich noch nie besucht hatten. Sie würden mir deswegen die Hölle heiß machen. Aber ich wollte nicht riskieren, dass sie nicht auftauchte, indem ich auf einen anderen Treffpunkt bestand.

**- Dann treffen wir uns bei Dilly's. Ich werde gegen acht da sein. -**

**- Sieben ist besser für mich. -**

So früh gingen wir nie aus. Ich wusste, dass meine Brüder mich deswegen necken würden, aber ich stimmte trotzdem zu.

**- Dann werde ich um sieben da sein. Ich kann es kaum erwarten, Sie wiederzusehen, Zurie. -**

*Jetzt muss ich nur noch meinen Brüdern davon erzählen.*

# KAPITEL SECHS

## ZURIE

Als ich pünktlich um sieben Uhr durch die Tür von Dilly's Bar and Grill trat, ließ ich meine Augen in der Hoffnung, Cayce zu sehen, durch den Raum schweifen.

„Ein Tisch für eine Person, Ma'am?", fragte mich eine Kellnerin und zog meine Aufmerksamkeit auf sich.

„Ich treffe hier jemanden." Ich sah wieder in den halb vollen Raum und entdeckte schließlich Cayce, der ganz hinten saß. In der dunkelsten Ecke. Seine Augen begannen zu tanzen, als er mich bemerkte, und er stand sofort auf und kam auf mich zu. „Ich sehe ihn. Danke."

„Oh, Sie gehören zu ihm?", fragte die Kellnerin. „Wow."

„Ja, wow." Ich wusste, dass Cayce ein attraktiver Mann war. Und ich hätte wissen müssen, dass sich auch andere Frauen zu ihm hingezogen fühlen würden. Was ich nicht wusste, war, warum plötzlich ein stechender Schmerz mein Herz durchbohrte.

*Eifersucht?*

Ein Schauer durchlief mich. Wenn ich tat, was ich tun sollte, durften echte Emotionen bei meinen Interaktionen mit

Cayce Duran keine Rolle spielen. Das war eine Mission. Mehr nicht.

„Du siehst wunderschön aus." Er nahm meine Hand und führte mich zurück in die dunkle Ecke.

Ein Kribbeln schoss durch meinen Arm und durchzuckte meinen ganzen Körper, bevor es meine unteren Regionen erreichte. *Er hat mich geduzt.* Das war überhaupt nicht gut, aber ich musste mitmachen.

„Danke. Du siehst auch nicht übel aus." Cayce trug die typische Inselkleidung – khakifarbene Shorts, ein Hemd mit buntem Palmen-Print und Ledersandalen, die seine ziemlich perfekt geformten Füße zur Geltung brachten. Männer hatten nicht oft schöne Füße, aber seine musste ich bewundern. „Du hast hübsche Füße, Cayce."

„Danke. Du auch, Zurie." Er zog einen Stuhl unter dem Tisch hervor und ich nahm darauf Platz.

Ich trug ein langes Kleid, das bis zu den Knöcheln reichte, und Riemchensandalen mit niedrigem Absatz. Meine Haare waren zu einem unordentlichen Knoten hochgesteckt und silberne Creolen waren an diesem Abend mein einziger Schmuck. Ich hatte meine Lippen in einem gedeckten Rosaton geschminkt und ein wenig rosa Lidschatten verwendet. Ich fühlte mich so hübsch wie schon lange nicht mehr.

Hitze stieg in meine Wangen, als Cayce mir gegenüber Platz nahm. Zwischen uns schlugen die Funken. Mit dem Gefühl der Erregung kam jedoch auch Reue. *Ich werde diesen Mann niemals so verletzen können, wie ich es tun sollte.*

Niko Armstrong hatte die falsche Frau ausgewählt, um für ihn die Drecksarbeit zu machen. Äußerlich mochte ich für ihn wie eine Femme fatale ausgesehen haben, aber innerlich war ich nur ein normaler Mensch mit guter Moral.

Als mir diese Gedanken durch den Kopf gingen, stellte sich die Kellnerin neben mich. „Was kann ich Ihnen beiden zu trinken bringen?"

„Ich nehme Mineralwasser und einen Vorspeisenteller mit

eingelegten Gurken und gebratenen Pilzen." Ich durfte keinen Alkohol trinken. Bei Cayce traute ich mir sogar nüchtern kaum über den Weg. Alkohol würde das nur noch schlimmer machen.

Cayce sah mich mit gerunzelter Stirn an, als er sagte: „Ich trinke ein Bier. Möchtest du wirklich nicht etwas Stärkeres als Wasser, Zurie?"

„Nein danke."

Die Kellnerin verließ uns. Ich hatte Schmetterlinge im Bauch und rutschte auf meinem Stuhl herum. Cayce bemerkte es und fragte: „Bist du nervös?"

„Ich?", fragte ich mit viel zu hoher Stimme. „Nein. Warum fragst du?" Ich war höllisch nervös. Nicht, dass ich ihm erklären könnte, warum.

„Du wirkst unruhig. Deshalb habe ich gefragt. Du weißt hoffentlich, dass du dich nicht so fühlen musst, wenn du in meiner Nähe bist." Er schob seinen Stuhl ein wenig näher an mich heran. „Ich muss dir ein Geständnis machen. Ich bin nicht ganz der Mann, den du heute Morgen kennengelernt hast."

„Nicht?" Je näher er mir kam, desto heißer wurde mir und desto wilder flatterten die Schmetterlinge in meinem Bauch.

„Nein." Seine Augen bohrten sich in meine, als er mich ansah. „Bei dir verhalte ich mich ganz anders als sonst. Und das fasziniert mich."

Ich wollte ihn nicht faszinieren. Ich wusste, dass ich es tun sollte, aber ich wünschte, er würde etwas an mir finden, das ihm nicht gefiel, und mich einfach in Ruhe lassen. Dann könnte ich zu Niko zurückgehen und ihm sagen, dass der Deal gescheitert war, weil ich nicht Cayce' Geschmack entsprach. „Ich bin nicht besonders faszinierend, Cayce. Eigentlich überhaupt nicht."

„Hier sind die Getränke", unterbrach uns die Kellnerin, als sie die Gläser vor uns auf den Tisch stellte. „Ich komme gleich mit dem Essen zurück. Genießen Sie den Abend."

„Danke", sagte Cayce mit einem Nicken. „Wir werden es versuchen."

Als ich an dem Mineralwasser nippte, war es salzig. Ich hatte so etwas noch nie zuvor bestellt und es nur getan, weil ich dachte, dass es elegant klang. Ich versuchte, bei dem scharfen Geschmack, den das Wasser in meinem Mund hinterließ, nicht das Gesicht zu verziehen, und fragte: „Hat dir das Grundstück gefallen, das du dir heute angesehen hast?"

„Ja. Es hat uns allen gefallen. Meinen Brüdern und mir. Sie werden in ungefähr einer Stunde hierherkommen, um sich uns anzuschließen. Ich hoffe, das macht dir nichts aus." Er ergriff das eisgekühlte Glas Bier und trank einen Schluck, während er mich über den Rand hinweg ansah.

„Warum sollte es mir etwas ausmachen?" Aber noch während ich die Worte sagte, begannen die Schmetterlinge in meinem Bauch auszuschwärmen. *Noch mehr Duran-Brüder, mit denen ich mich herumschlagen muss?*

Nachdem er das Glas wieder auf den Tisch gestellt hatte, legte er seine Hand direkt neben meine. „Ich weiß es nicht. Ich dachte nur, ich sollte dich darauf hinweisen, dass sich uns später noch drei weitere Leute anschließen."

„Klingt gut." Aber das war weit von der Wahrheit entfernt. Es klang schrecklich für mich. Ich konnte unmöglich etwas aus ihm herausbekommen, wenn es in der Nähe so viele Zeugen gab. Wenn ich irgendwelche Geheimnisse von ihm erfahren wollte, die für Niko nützlich wären, musste ich es privat tun. Also musste ich mir einen Plan ausdenken, bei dem Cayce und ich allein sein würden. Bisher hatte ich keinen.

*Ich bin eine ziemlich schlechte Erpresserin.*

Obwohl ich mit jeder Faser meines Körpers dem heißen Mann, der neben mir saß, näherkommen wollte, wusste ich, dass ich Distanz wahren musste. Ich musste so tun, als würde ich nicht diese wahnsinnige Anziehungskraft spüren. Wenn ich zu viel Interesse zeigte oder versuchte, die Dinge zu überstürzen, könnte er misstrauisch werden.

Musik begann zu spielen und füllte die Luft. Ein paar Leute gingen auf die kleine Tanzfläche und begannen das alte Ritual, ihre Partner mit ihren besten Tanzbewegungen zu beeindrucken. „Tanzt du gerne, Zurie?"

„Ich?" Ich schluckte schwer und umklammerte mein Glas. „Nicht wirklich."

„Und warum nicht?" Er musterte mich. „Du hast den Körper einer Tänzerin."

„Ich glaube nicht, dass es angemessen ist, darüber zu reden, wie du meinen Körper findest", sagte ich streng.

„Du hast gesagt, ich hätte schöne Füße. Ich finde nichts Schlimmes daran, das Kompliment zu erwidern." Er hob das Bierglas an seinen Mund und trank. Seinem Gesichtsausdruck nach zu urteilen, war er etwas verlegen.

„Füße und Körper sind völlig verschiedene Dinge." Ich wusste nicht einmal, woher die Worte kamen, als ich fortfuhr: „In der heutigen Zeit ist es unerlässlich, genau darauf zu achten, was man sagt. Auch ich als Frau muss aufpassen, was ich zu einem Mann sage. Wir müssen uns alle anstrengen, sonst kommen wir nie ans Ziel."

„Welches Ziel?" Er stellte das Glas mit einem Lächeln im Gesicht ab.

„Du weißt schon … auf die nächste Ebene." Ich wusste selbst nicht, was ich meinte. „Wir müssen besser darin werden, respektvoll mit anderen umzugehen."

„Du denkst also, dass ich dich nicht respektiere, wenn ich sage, dass du einen schönen Körper hast?"

„Ja." Ich stieß den Atem aus und trank noch einen Schluck von dem ekligen Wasser. Hier saß ich und eine Lüge nach der anderen kam aus meinem Mund. Ich mochte, dass er meinen Körper bemerkt hatte und ihm meine Figur gefiel. Ich wusste nicht, warum das so war, aber ich mochte es wirklich. Aber hier war ich und stritt über etwas völlig Unsinniges.

„Nun, dann werde ich darauf achten, nichts mehr über deinen Körper zu sagen – nicht bevor du es willst. Ich nehme das, was du sagst, sehr ernst, Zurie. Ich möchte dich kennenlernen und mehr Zeit mit dir verbringen. Wenn du dich also von irgendetwas, das ich sage oder tue, nicht respektiert fühlst, dann sei bitte ehrlich zu mir, und ich werde mich bemühen, dir entgegenzukommen."

*Verdammt! Was für ein Gentleman.*

„Danke, Cayce. Das ist ritterlich von dir und ich weiß es zu schätzen."

Mit einem tiefen Lachen, das meine Ohren reizte, sagte er: „Bei dir fühle ich mich so seltsam. Aber auf eine gute Art und Weise."

*Wenn er sagt, dass ich ihm das Gefühl gebe, ein besserer Mann zu sein, muss ich aufstehen und gehen.*

Seit ich ein junges Mädchen gewesen war, hatte ich davon geträumt, dass mir eines Tages ein Mann erzählen würde, dass ich ihn dazu brachte, besser sein zu wollen. Ich glaubte mit all meiner Seele, dass ich mit dem Mann, der diese Worte zu mir sagte, den Rest meines Lebens verbringen sollte. Aber ich konnte nicht den Rest meines Lebens mit Cayce Duran verbringen.

Wir hatten uns unter schlechten Vorzeichen kennengelernt. Ich war eine Lügnerin. Ich war geschickt worden, um ihn dazu zu bringen, etwas zu tun, das gegen ihn verwendet werden könnte. Wenn er das jemals herausfand, würde er mich verstoßen. Und er hätte damit völlig recht.

„Hier, bitte", sagte die Kellnerin und stellte den Vorspeiseteller mit zwei kleineren Tellern und Servietten auf den Tisch. „Auf dem Teller ist auch Ranch-Dressing. Kann ich Ihnen noch etwas bringen?"

„Noch ein Bier", sagte Cayce. Er sah auf mein halb leeres Glas. „Mehr Wasser, Zurie?"

„Nein danke."

Die Kellnerin lächelte mich an. „Ich kann Ihr Mineralwasser kostenlos nachfüllen, wenn Sie Ihre Meinung ändern."

Ich wollte nicht einmal das, was im Glas übrig war, geschweige denn mehr von dem schrecklichen Zeug. „Das werde ich mir merken. Danke."

„Okay. Winken Sie einfach, wenn Sie noch etwas möchten. Ich bin gleich mit Ihrem Bier zurück, Sir."

„Zwei Gläser Bier in einer halben Stunde", sagte ich nachdenklich, bevor ich eine eingelegte Gurke in die Hand nahm und sie mir in den Mund steckte.

„Ich bin ein großer Kerl. Ich kann damit umgehen", versicherte er mir. Ein weiteres Lied drang aus den Lautsprechern. Diesmal war es etwas Fröhliches und Beschwingtes. „Ich würde mich freuen, wenn du zu diesem Lied mit mir tanzt."

Mein Herz flehte mich an, sein Angebot anzunehmen. Mein Kopf sagte mir, dass es eine schlechte Idee war. Trotz aller Einwände schoben meine Füße meinen Stuhl zurück und ich stand auf. „Sicher. Ich bin allerdings nicht gut darin. Also hasse mich bitte nicht, wenn ich dir auf die Zehen trete."

„Das würde ich niemals tun." Er stand auf und ergriff meine Hand. Dann führte er mich auf die Tanzfläche, bevor er mich in seine Arme nahm. Sie waren so stark, dass sie mich leicht hätten zerquetschen können, aber sie hielten mich sanft fest. „Ganz vorsichtig, okay?"

„Okay." Ich wollte meinen Kopf so sehr an seine breite Schulter lehnen, dass es wehtat. Aber das tat ich nicht. Stattdessen tat ich etwas viel Schlimmeres. Ich sah ihm in die Augen, als er direkt in meine schaute.

„Deine Augen faszinieren mich. So vieles an dir fasziniert mich. Und ich meine das überhaupt nicht respektlos."

*Dito.*

Eine Stunde verging im Handumdrehen, während wir tanzten und er trank, und dann riefen seine Brüder an, um ihm mitzuteilen, dass sie in eine andere Bar gegangen waren. „Sie kommen also nicht."

Die Zeit war gekommen. Keine Zeugen. „Weißt du, ich

kann dich nach Hause fahren, Cayce. Danach lasse ich mich von einem Uber hierher zurückbringen, um mein Auto zu holen."

„Das musst du nicht tun", antwortete er, als er die Rechnung bezahlte und wir uns auf den Weg machten.

„Du hast viel Bier getrunken. Ich habe keinen Alkohol bestellt. Lass mich dich nach Hause fahren. Ich würde mich besser fühlen."

„Also gut, in Ordnung." Er gab mir den Schlüssel für seinen Truck. „Er ist verdammt groß, Zurie. Lass es ruhig angehen."

Als ich meine Augen schloss, wusste ich, dass es falsch war. *Das ist ein riesiger Fehler.*

Dann erinnerte ich mich an meine Mutter und meine Schwester und wusste, dass ich keine andere Wahl hatte, als zu tun, was mir aufgetragen worden war. „Ich werde vorsichtig sein, Cayce. Versprochen."

*Oh Gott, kann ich ihm das wirklich antun?*

## KAPITEL SIEBEN

CAYCE

Es fühlte sich seltsam an, auf dem Beifahrersitz meines eigenen Trucks zu sitzen. Aber als ich Zurie ansah, die hinter dem Steuer saß, empfand ich etwas, das noch nie zuvor jemand in mir ausgelöst hatte. Es erregte mich auf eine Weise, die ich nicht einmal für möglich gehalten hätte. „Ich hoffe, ich beleidige dich nicht, wenn ich sage, dass du verdammt gut aussiehst, während du meinen Truck fährst, Mädchen."

„Du bist betrunken, also lasse ich es dir diesmal durchgehen", sagte sie mit einem schiefen Lächeln.

„Ich bin nicht betrunken." Ich hatte vier Gläser Bier getrunken. Es brauchte verdammt viel mehr, um mich außer Gefecht zu setzen. Ich war froh zu hören, dass sie dieses Kompliment annahm. „Weißt du, ich glaube an die Gleichberechtigung von Mann und Frau. Und ich denke, wir sollten alle besser darin werden, andere wissen zu lassen, dass wir uns zu ihnen hingezogen fühlen, ohne aufdringlich oder beleidigend zu werden. Trotzdem bin ich im Herzen immer noch ein guter alter Texaner und wenn ich etwas sehe, das mir gefällt, hole ich es mir."

„Das ist eine schlechte Idee, Cayce. Es könnte dich eines Tages in große Schwierigkeiten bringen." Sie fuhr vom Parkplatz auf die Straße. „Welche Richtung?"

Ich beugte mich vor und gab meine Adresse in das Navigationssystem ein. „Folge den gelben Pfeilen."

Lachend folgte sie den Anweisungen des Navigationssystems und wir machten uns auf den Weg zu meinem Haus. „Es ist eine Weile her, dass ich ein Auto mit Navigationssystem hatte. Ich hatte fast vergessen, wie nützlich so etwas sein kann."

„Eine Weile?" Sie fuhr einen klapprigen Kleinwagen. Ich musste mich fragen, wann sie etwas Besseres gehabt hatte und warum es jetzt weg war. „Also hattest du früher ein schönes Auto?"

Etwas Undeutbares huschte über ihr Gesicht, dann schüttelte sie den Kopf. „Meine Mutter hatte ein schönes Auto. Ich nicht. Niemals."

„Oh. Zu Hause in Südafrika."

„Ja." Sie bog nach links ab und ich sah, wie sich ihre Brust bei einem schweren Seufzer senkte. „Zu Hause."

„Du vermisst es, nicht wahr?" Ich konnte an ihren traurigen Augen erkennen, dass es so war.

„Natürlich."

Ich fand es mutig, dass sie ganz allein nach Amerika gekommen war. „Es war bestimmt nicht leicht, deine Familie zurückzulassen. Ich frage mich, ob es noch andere Gründe für dich gab, nach Brownsville, Texas, zu kommen."

„Ich wollte einfach nach Texas ziehen, das war alles. Und hier bin ich." Sie bog noch einmal ab und erreichte das prestigeträchtige Viertel, in dem ich wohnte. „Oh, das ist die wohlhabende Seite der Stadt."

Ich konnte nicht anders, als sie zu bewundern. Sie war wunderschön, ohne sich anzustrengen. „Ich bin froh, dass du in meine Heimat gekommen bist, Zurie." Sie hatte mir ihren

Nachnamen immer noch nicht verraten. „Was folgt auf deinen einzigartigen Vornamen, Zurie?"

„Nala." Sie betrachtete das Haus, in dem ich wohnte, als die Außenbeleuchtung anging. „Das bedeutet wohl, dass wir angekommen sind. Hier ist also dein Zuhause?"

„Du kannst den kleinen Knopf an der Sonnenblende über deinem Kopf drücken, um das Tor zu öffnen." Ich zeigte darauf. „Und ja, das ist mein Zuhause."

„Es ist sehr hübsch." Sie drückte den Knopf und das Tor öffnete sich. „Man muss viel Geld verdienen, um sich so ein Anwesen leisten zu können."

„Ich habe in meinem Leben gutes Geld verdient. Ich kann nicht behaupten, dass Mantabo Industries mich nicht gut bezahlt hat. Aber die Arbeit, die ich dort gemacht habe, war einfach nicht das, womit ich meine Zeit verbringen wollte." Ich zeigte auf die Garage mit Platz für vier Autos. „Dort kannst du parken. Drücke den Knopf ganz links, dann öffnet sich das Garagentor."

Sie tat, was ich gesagt hatte, und in der Garage ging das Licht an. „Nicht übel, Cayce."

Obwohl sie von meinem Zuhause ein wenig beeindruckt wirkte, fand ich es seltsam, dass sie nicht begeistert war. „Ist deine Familie in Südafrika reich?"

„Überhaupt nicht." Sie sah mich mit großen Augen an. „Ich meine, meiner Mutter ging es immer ganz gut. Nur nicht nach diesem Standard."

„Ich verstehe", sagte ich. Das stimmte nicht, aber es gab keinen Grund, sie zu bedrängen. „Du solltest reinkommen, damit ich dich herumführen kann."

„Oh, ich weiß nicht." Sie holte ihr Handy aus ihrer Handtasche. „Ich rufe jetzt besser ein Uber und lasse dich in Ruhe."

„Du kannst mit meinem Truck nach Hause fahren. Vergiss das Uber. Morgen früh kannst du wiederkommen und wir gehen zusammen frühstücken. Danach bringe ich dich zu deinem Auto." Ich hatte keine Ahnung, woher das gekommen war. Ich war niemand, der anderen Leuten erlaubte, meinen geliebten Truck zu fahren – schon gar nicht allein.

Ihre Augen wurden weich, als sie den Kopf neigte. „Meinst du das ernst?"

„Sicher." Ich stieg aus dem Truck und ging auf die Fahrerseite, um die Tür zu öffnen und nach ihrer Hand zu greifen. „Komm noch ein bisschen rein. Ich verspreche, dass ich nicht beiße. Lass mich dir helfen. Ich möchte nicht, dass du aus diesem großen Ding fällst."

„Ich denke, ich kann noch ein bisschen bleiben. Danke." Sie legte ihre Finger in meine Hand und ich spürte die gleichen Funken wie jedes Mal, wenn wir uns an diesem Abend berührt hatten. „Es geht ziemlich weit nach unten."

Ich legte meine Hände um ihre Taille und stellte sie vorsichtig auf den Boden.

Ihre Hände ruhten auf meinen Armen und als sie zu mir aufsah, umspielte ein winziges Lächeln ihre rosa Lippen. „Du bist ein sehr netter Mann. Das ist dir bestimmt schon oft gesagt worden."

„Es tut nicht weh, es noch einmal zu hören." Meine Lippen pulsierten und sehnten sich danach, sie zu küssen. In mir brannte ein Feuer, aber ich wusste es besser, als sie zu bedrängen. „Komm." Ich nahm ihre Hand und führte sie zum Haus. „Lass uns etwas trinken. Ich muss auch etwas essen. Ich bin am Verhungern, weil ich seit dem Frühstück nichts mehr gegessen habe."

„Es gab Essen in der Bar, Cayce. Du hättest etwas bestellen können."

Ich hatte dort kein Interesse an Essen gehabt. Und jetzt eigentlich auch nicht. Ich musste einfach etwas tun, um mich von meinem Verlangen abzulenken, diese Frau besinnungslos zu küssen. „Ich will nur ein einfaches Sandwich, das ist alles."

Wir gingen durch die Seitentür in die Küche. „Setze dich

auf einen Barhocker und ich serviere dir etwas. Ich habe hier alle möglichen Getränke."

„Wasser ist in Ordnung." Sie sah sich um. „Und ich würde gerne deinen Waschraum benutzen."

„Meinen was?" Ich hatte viele Zimmer in meinem Haus, aber ich war mir nicht sicher, wovon sie sprach.

Sie grinste. „Dein Badezimmer."

„Oh. Geh durch die Tür und biege links ab. Es ist die erste Tür rechts." Ich machte mich an die Arbeit und holte ihr eine Flasche Wasser aus dem Kühlschrank. Dann goss ich mir ein Glas Orangensaft ein und schnappte mir das Erdbeergelee.

Nachdem ich mir ein Erdnussbutter-Gelee-Sandwich gemacht hatte, nahm ich auf einem Barhocker Platz. Sie kam zurück, als ich gerade den ersten Bissen probierte. Ich zog den Hocker neben meinem heraus, und sie setzte sich und nahm die Flasche Wasser, die ich ihr reichte. Sie öffnete den Deckel und trank einen großen Schluck. „Ich war durstig. Das Mineralwasser hat nicht geholfen. Es hat mich sogar noch durstiger gemacht."

„Warum hast du nichts anderes bestellt?" Mir war aufgefallen, dass sie kaum aus ihrem Glas getrunken hatte.

Achselzuckend trank sie das Wasser. „Ich bin vorsichtig, wenn ich in Bars etwas trinke."

„Und warum ist das so?"

„Die Leute dort können etwas in die Getränke mischen, wenn man nicht hinsieht." Sie stellte die fast leere Flasche ab. „Es passiert öfter, als du vielleicht glaubst."

„Also hast du Angst, dass dich jemand unter Drogen setzt?" Ich hatte gehört, dass so etwas passierte. Aber ich hatte es noch nie gesehen und kannte niemanden, dem so etwas angetan worden war – zumindest soweit ich wusste.

Nickend drehte sie sich zu mir um. „Ich sage nicht, dass du es tun würdest. Aber jedes Mal, wenn man sein Getränk auf dem Tisch stehen lässt, könnte jemand etwas hineingeben. Deshalb habe ich nicht wieder aus meinem Glas getrunken, nachdem wir auf die Tanzfläche gegangen waren. Du bist übrigens ein sehr guter Tänzer. Du hast deine Füße rechtzeitig vor meinen in Sicherheit gebracht. Das war auf jeden Fall ein Vorteil."

„Du verdurstest also lieber, als ein neues Getränk zu bestellen?" Das klang für mich ein bisschen lächerlich – definitiv übertrieben vorsichtig.

Sie zuckte wieder mit den Schultern, dann nickte sie. „Ich denke schon." Sie griff nach der Wasserflasche und trank sie aus.

„Möchtest du noch eine Flasche Wasser, Zurie?"

„Nein danke." Sie sprang von dem Hocker, umrundete die Theke, stützte die Ellbogen darauf und legte ihr Gesicht in ihre Handflächen. Zum ersten Mal verhielt sie sich in meiner Nähe entspannt. „Ich bin froh, dass ich dich heute Abend getroffen habe. Ich hatte eine schöne Zeit."

„Ich auch." Ich aß mein Sandwich und stand auf, um die Serviette wegzuwerfen, die ich benutzt hatte. „Willst du dir mein Haus ansehen?"

Sie hielt mir ihre Hand hin. „Ja. Das wäre nett."

Ich hatte keine Ahnung, warum sie sich plötzlich so wohl bei mir fühlte, wenn sie in der Bar gar nicht so gewirkt hatte. Aber ich war niemand, der lange grübelte. Ich nahm ihre Hand und zog sie an meine Seite. „Ich habe einen tollen Kamin im Wohnzimmer."

„Zeige ihn mir." Sie ließ meine Hand los und legte ihren Arm um meine Taille, als sie sich an mich lehnte.

Ich legte meinen Arm um sie und zog sie an meine Seite. „Okay, also los." Ich hatte keine Ahnung, warum sie plötzlich Körperkontakt suchte, aber es gefiel mir.

Die Lichter gingen an, als wir das Wohnzimmer betraten, und sie betrachtete mit funkelnden Augen den riesigen Kamin, der aus weißen Felsbrocken bestand. „Wow. Das ist großartig."

Es war der schönste Blickfang im ganzen Haus. „Ich wusste, dass es dir gefallen würde."

Sie stellte sich vor mich und legte ihre Arme um meine Taille. Unsere Körper waren aneinandergepresst und wärmten einander. „Ich wette, du hast vor diesem Ding schon mit vielen Mädchen geschlafen."

Sie benahm sich wirklich nicht mehr so, wie sie es zuvor getan hatte. „Zurie, geht es dir gut?"

„Warum fragst du das?" Sie lächelte sexy. „Möchtest du nicht, dass ich dich so berühre?"

„Ich liebe es. Ich will nur sichergehen, dass es dir gut geht. Du warst bisher nicht gerade anhänglich."

„Ja, ich weiß. Aber jetzt sind wir allein. Und ich glaube, du bist okay." Sie nahm eine Hand von meinem Körper, um damit über meine Lippen zu streichen. „Und sehr heiß."

Ich musste mich fragen, ob sie im Badezimmer etwas genommen hatte, denn dieses Mädchen brannte plötzlich für mich. Ich konnte das Leuchten in ihren dunklen Augen sehen und den rasenden Puls ihres Körpers spüren. „Bist du sicher, dass es dir gut geht?"

„Es würde mir noch viel besser gehen, wenn du mich küsst." Ihre Arme legten sich um meinen Hals, als sie ihre gespitzten Lippen näher an meinen Mund brachte.

Ich war niemand, der eine Lady im Stich ließ, also küsste ich sie zuerst sanft. Ihre Arme umklammerten meinen Hals und ihre Lippen öffneten sich für mich. Bevor ich mich versah, atmeten wir beide schwer, aber dann löste sie ihren Mund von meinem.

„Zurie?", murmelte ich mit rasendem Herzen.

„Cayce, was ist, wenn ich heute Nacht nicht nach Hause gehe? Was ist, wenn ich hier bei dir bleibe?"

*Ich glaube, ich bin gestorben und in den Himmel gekommen!*

# KAPITEL ACHT

## ZURIE

Seine Hände auf meinem Körper hinterließen lodernde Spuren auf meiner Haut. Ich war ausgehungert nach seiner Berührung und obwohl ich völlig nüchtern war, war ich berauscht. Mein Gehirn weigerte sich, an etwas anderes zu denken als daran, diesem Mann Vergnügen zu bereiten und mich an ihm zu erfreuen.

*Mein Gott, das fühlt sich so richtig an!*

Während er mit seinen Händen über meine Arme strich und mir mit angehaltenem Atem in die Augen blickte, erweckte er Gefühle in mir zum Leben, von deren Existenz ich nicht einmal geahnt hatte. „Zurie, bist du dir sicher?"

Ich nickte und schluckte. „Ich war mir in meinem ganzen Leben noch nie so sicher, Cayce."

Seine Lippen verzogen sich zu einem schiefen Lächeln und ein verspielter Ausdruck trat auf sein schönes Gesicht. „Zurie, wir müssen nichts überstürzen. Ich gehe nirgendwohin und ich nehme an, du auch nicht."

Mein Herz setzte einen Schlag aus. Der Mann war süß und fürsorglich und schien so ehrlich zu sein, wie man nur sein konnte. Ich war alles andere als das. Aber zumindest darüber, wie ich bei ihm empfand, konnte ich ehrlich sein. „Du machst etwas mit mir, das ich noch nie zuvor erlebt habe. Wie fühlst du dich bei mir?"

„Als wäre ich der einzige Mann auf der Welt." Er strich mit einem Finger über meine Wange und hielt meinen Blick. „Du reagierst auf mich auf eine Weise, die mich erstaunt."

*Ja, mich auch.*

Als seine Hand meine Wange umfasste, wollte ich, dass dieser Moment niemals endete. Ich wusste, dass es zu früh war, um mich so zu fühlen, besonders bei meiner Agenda. Aber verdammt, ich konnte nichts dagegen tun. „So schnell habe ich das noch nie getan."

„Du musst es auch jetzt nicht tun."

Ich blinzelte die Tränen zurück und fragte mich, ob das, was ich tat, richtig war. Wir beide könnten ernsthaft Schaden nehmen, wenn ich weitermachte. Ich schloss die Augen und suchte nach der richtigen Antwort. Sofort fielen mir meine Mutter und meine Schwester ein und ich wusste, dass es nötig war.

Ich öffnete meine Augen und fragte: „Du willst mich also nicht?"

Seine dunklen Augen wurden weich, als er mich noch näher an sich zog. „Kannst du das fühlen, Zurie?"

Sein Herz raste und ich konnte es deutlich spüren. „Dein Herz tanzt für mich." Ich lächelte.

„Das bedeutet, dass ich dich will." Seine Arme umschlangen mich, als er seine pulsierende Männlichkeit an mich drückte. „Siehst du, wovon ich rede? Ich will dich wirklich. Ich will dich, wie ich noch nie jemanden gewollt habe", flüsterte er mir ins Ohr und ein Kribbeln zog über meinen Rücken. „Aber ich möchte nicht alles mit dir ruinieren, indem ich zu schnell mache."

„Was ist, wenn *ich* schnell machen will?" Ich stieß den Atem aus und das letzte Wort war nicht mehr als ein Flüstern.

Ich war innerlich hin- und hergerissen. Ich war mir nicht sicher, welche Seite gewinnen würde, aber als er mich festhielt, hatte ich das Gefühl, dass meine schlechte Seite bekommen würde, was sie wollte.

*Wer hätte gedacht, dass so viel Böses in mir steckt?*

Ich streichelte seine Brust und wollte so viel wie möglich von ihm berühren. Wenn ich nur diese eine Nacht hatte, bevor ich ihn dazu brachte, mich zu hassen, dann wollte ich sie zur besten Nacht meines Lebens machen.

Ich legte meine Arme um seinen Hals und er beugte sich mit geschlossenen Augen vor, um mich zu küssen. Ich beobachtete ihn einen Moment lang, bevor ich auch die Augen schloss und seine Lippen auf meinen spürte. Zitternd sank ich in seine starken Arme, als mein Körper mit seinem verschmolz.

*Oh mein Gott!*

Er hob mich hoch und unsere Münder blieben miteinander verbunden, als er mich wegtrug. Im nächsten Moment lag ich auf einem Bett, das so weich war, als würde uns eine Wolke durch den Nachthimmel tragen und uns auf eine Reise mitnehmen, mit der keiner von uns gerechnet hatte.

Er zog mir meine Kleider aus und hinterließ Küsse auf der nackten Haut. Tränen liefen aus meinen Augen, als ich ihn dabei beobachtete. Seine Berührung war so sanft und fürsorglich. So liebevoll.

Es war zu viel. Es war zu einfach. Und es hinterließ tiefe Spuren in meiner Seele. Ich musste das verhindern. Irgendwie. „Cayce, ich mag es rau." Das war eine Lüge. Ich liebte, was er mit meinem Körper machte. Aber Liebe würde mich nicht weiterbringen. „Ich will morgen früh auf meinen Körper schauen und Erinnerungen an diese Nacht sehen. Markiere mich."

Seine Augen hielten lange meinen Blick, bevor er meinen nackten Körper hinunterrutschte, meine Beine auseinanderdrückte und an der Innenseite meines Oberschenkels saugte, nur wenige Zentimeter von der pulsierenden Perle entfernt, die seinen heißen Mund spüren wollte.

Als er seinen Kopf zurückzog, sah ich den dunkelvioletten Fleck, den er hinterlassen hatte. „Du gehörst mir, Zurie Nala."

Verlangen durchströmte mich. „Ich gehöre dir, Cayce Duran."

Er strich mit seiner Zunge über meine geschwollene Perle und sandte Schockwellen durch mich. Ich umklammerte die Decke unter mir, wölbte mich ihm entgegen und rief: „Ja! Oh Gott, ja!" Ein Orgasmus durchzuckte mich mit einer Intensität, bei der ich beinahe das Bewusstsein verlor.

„Die Art und Weise, wie dein Körper auf mich reagiert, ist wirklich erstaunlich." Cayce stand vom Bett auf und zog sich aus.

Sein Körper glänzte im trüben Licht des Vollmonds, der hinter ihm durch die Vorhänge spähte, als wäre er aus Marmor gemeißelt. „Du siehst wie ein Gott aus."

„Du gibst mir das Gefühl, einer zu sein." Er bewegte sich wie ein Panther über meinen Körper.

Schließlich schwebte er über mir und sein lächelndes Gesicht war nur Zentimeter von meinem entfernt, bis er mich küsste. Ich beugte meine Knie und positionierte mich so, dass ich bereit dafür war, dass er in mich eindrang. Ich *wollte* ihn in mir spüren. Ich brauchte ihn in mir.

Ich reckte mich ihm entgegen und drückte meine Hände auf seinen Rücken. „Bitte, Cayce. Lass mich nicht länger warten."

Er zog den Kopf zurück und sah mir in die Augen, während er seine Erektion in mich gleiten ließ, bis er mich vollständig ausfüllte. Weitere Tränen fielen, als Feuer in mir loderte und meine zarte Haut sich dehnte, um sich seiner großen Männlichkeit anzupassen. „Verdammt", flüsterte ich. Meine Nägel gruben sich in seinen Rücken. Schließlich ließ der Schmerz nach und er küsste sanft meinen Hals. „Alles okay."

Er begann, sich langsam zu bewegen. „Du fühlst dich so verdammt gut an, Zurie."

Er fühlte sich auch verdammt gut an. So gut, dass ich mir vorstellen konnte, das immer wieder mit ihm machen zu wollen. Aber das war uns nicht vergönnt. Also machte ich das Beste aus der Zeit, die wir hatten. „Halte dich nicht zurück. Gib mir alles, was du hast."

Zögernd sah er mich mit einem schiefen Grinsen an. „Wir müssen wirklich nichts überstürzen. Wir haben mehr als nur diese Nacht. Das kann ich dir versichern."

*Ich kann dir versichern, dass das nicht stimmt. Außerdem kann ich dir versichern, dass du mich bald aus tiefster Seele hassen wirst.*

Meine Hände wanderten über seine Arme und ruhten auf seinem riesigen Bizeps. „Ich will sehen, was all diese fabelhaften Muskeln leisten können, Cayce."

„Verstanden." Er packte mich und drehte sich mit mir um. „Lege deine Beine um mich."

Seine Hände auf meinem Hintern positionierten mich so, wie er wollte, während er immer wieder in mich eindrang. Ich hielt mich an ihm fest und atmete schwer, als er mich immer näher an den Rand der Ekstase brachte, bis mein Körper wieder zitterte. Ich hatte schon zwei Orgasmen gehabt und er noch nicht einmal einen. „Oh Gott!"

Er legte mich auf das Bett, stand auf und stellte sich an das Fußende. Dann zog er mich über die Matratze an die Bettkante, bevor er wieder in mich eindrang und immer wieder in mich stieß, bis ich erneut zum Höhepunkt kam.

Zitternd vor Erregung konnte ich nicht glauben, dass ich schon so viele Orgasmen gehabt hatte. „Das passiert mir sonst nicht", gestand ich atemlos.

„Wenn du bei mir bist, schon." Sein tiefes Lachen hallte in seinem großen Schlafzimmer wider und klang ein wenig verrucht.

Eine Sekunde lang fragte ich mich, ob Cayce Duran eine böse Seite hatte, so wie ich auch. Ich beschloss, ihn herauszufordern, ging auf meine Hände und Knie und wackelte mit dem Hintern. „Ich war ein böses Mädchen."

Er stieg hinter mir auf das Bett und streichelte meine Pobacken. „Vielleicht brauchst du eine Tracht Prügel."

Ich wackelte noch ein bisschen mehr mit dem Hintern. „Kann sein." Ich musste mich auf das gefasst machen, was gleich kommen würde. Ich hatte so etwas noch nie zuvor getan. „Hinterlasse Spuren auf mir. Ich will deinen Handabdruck sehen, wenn ich morgen früh dusche."

Lachend gab er mir einen Klaps, aber nicht fest genug, um Spuren zu hinterlassen. „Hier, bitte."

„Cayce, ich meine es ernst." Ich sah ihn über meine Schulter an. „Hinterlasse Spuren auf mir."

Er grinste mit einer hochgezogenen dunklen Augenbraue. „Du bist ein böses Mädchen, Zurie."

„Ich bin schlimmer, als du dir vorstellen kannst." Mir brach das Herz bei dem Gedanken daran, wie wahr diese Worte waren – sie waren vielleicht das Ehrlichste, was ich in dieser Nacht zu ihm gesagt hatte.

„Ah, ich verstehe. Dann lass mich deine böse Seite zähmen." Seine Hand schlug fest auf meine zarte Haut.

„Oh!", schrie ich, als meine Augen vor Schreck tränten und der Schmerz sich in der unteren Hälfte meines Körpers ausbreitete. Er rammte seinen Schwanz in mich und stieß hart zu, während er mich an der Taille festhielt.

Zitternd presste ich mein Gesicht in ein Kissen, damit er nicht hören konnte, wie ich weinte. Nicht, weil der Klaps schrecklich wehgetan hatte, sondern weil ich ihm bald wehtun würde.

Cayce hatte es nicht verdient, erpresst zu werden. Er versuchte nur, sein Leben zu leben und die Dinge zu tun, die er tun wollte. Aber hier war ich und versuchte, ihn dazu zu verleiten, Spuren auf meinem Körper zu hinterlassen. Beweise, die falsch ausgelegt werden könnten.

Ich schluckte, um den Kloß, der sich in meinem Hals

gebildet hatte, loszuwerden, und hob mein Gesicht von dem Kissen. „Beiße mir in die Schulter."

Er beugte sich über meinen Körper und strich mit seinen Zähnen über meine Schulter, während er mich unerbittlich in Besitz nahm. „Du machst mich zu einem Tier."

„Ja, das tue ich. Beiße mich. Beiße mich fest." Ich grub mein Gesicht wieder in das Kissen, damit es die Schreie dämpfte, die ich mit Sicherheit ausstoßen würde, wenn er zubiss. Aber der Schmerz kam nicht. Stattdessen bedeckte er meine Schulter mit sanften Küssen. Die Zärtlichkeit ließ mich noch mehr zögern.

*Ich kann ihm das nicht antun!*

Seine Zunge strich über meine Schulter, während er immer schneller zustieß. Ich spannte mich an und hielt meine Augen so fest geschlossen, dass ich anfing, Sterne zu sehen. Dann streiften mich seine Zähne noch einmal, bevor er zubiss. „Verdammt!"

Sofort zog er seinen Mund weg. „Alles in Ordnung?" Er küsste die Stelle. „Tut mir leid. Das war fester, als du wolltest, nicht wahr?"

„Nein", sagte ich und schniefte. „Nein, genau das wollte ich." Ich hatte keine Ahnung gehabt, wie sehr es wehtun würde. „Mach weiter."

„Ich werde dich nicht wieder beißen." Er zog sich zurück und streichelte meinen Rücken und meinen Hintern, bevor er sich von mir löste.

Er drehte mich auf den Rücken und legte sich vorsichtig neben mich. Als er meine Tränen wegwischte, sah er mich mit schmerzerfüllten Augen an.

Ich nahm seine Hand und hielt sie an meine Wange. „Danke."

„Ich mag es nicht, dich zum Weinen zu bringen, Zurie. Ich habe das Gefühl, dass du nicht wirklich auf solche Sachen stehst." Er zog seine Hand von meinem Gesicht und küsste meine Wange. „Wenn du das nur machst, weil du denkst, es würde mir gefallen, dann hör einfach auf. Es gefällt mir nicht, dich zu verletzen, Baby. Nicht, wenn es dir keinen Spaß macht."

*Himmel, dieser Mann ist einfach wundervoll!*

„Das werde ich mir merken." Ich schloss meine Augen, umklammerte ihn, als er zärtlich in mich eindrang, und gab mich der Magie hin.

Seine rhythmischen Bewegungen raubten mir den Atem und ich fühlte, wie ein weiterer Orgasmus in mir aufblühte. Diesmal kam er mit mir. Unsere Herzen hämmerten wild, als er schließlich erschöpft auf mir lag. „Baby, es wird dir verdammt schwerfallen, mich loszuwerden."

*Ich habe den perfekten Mann für mich gefunden und ich bin dabei, ihn dazu zu bringen, mich zu hassen.*

# KAPITEL NEUN

## CAYCE

Sonnenstrahlen weckten mich. Ein Lächeln umspielte meine Lippen – Lippen, die von all den Küssen der letzten Nacht schmerzten. Ich drehte mich um und stellte fest, dass die andere Seite meines Kingsize-Betts leer und ordentlich gemacht war. Dort hatte Zurie geschlafen, als ich sie das letzte Mal gesehen hatte.

Gähnend streckte ich meine Arme über meinen Kopf, setzte mich auf und starrte auf die Badezimmertür. Mein Körper war steif und schmerzte auf die beste Art und Weise, als ich schließlich aufstand und ins Badezimmer ging.

Obwohl ich ein wenig unsicher war, dachte ich, dass Zurie auf keinen Fall gegangen sein konnte. Wir hatten eine großartige Nacht miteinander verbracht und waren auf eine Weise verbunden gewesen, die ich noch nie zuvor mit jemand anderem erlebt hatte. Ich war mir ziemlich sicher, dass es ihr genauso gegangen war. Sie hatte förmlich geglüht, als sie in meinen Armen eingeschlafen war. Ich hatte noch nie in meinem Leben etwas so Schönes gesehen.

Nach einer kurzen Dusche zog ich mir Shorts und ein T-

Shirt an und machte mich dann auf die Suche nach meiner Traumfrau. „Zurie, wo bist du?"

Da ich sie nicht fand, ging ich in die Garage, um nachzusehen, ob mein Truck noch da war. Ich stellte fest, dass es so war. „Wo kann dieses Mädchen nur sein?"

Ich fand mein Handy auf der Theke in der Küche und schrieb ihr eine SMS.

**- Letzte Nacht war großartig. Ich vermisse dich heute Morgen. Ruf mich an, dann treffen wir uns zum Frühstück. -**

Ich ging zurück ins Schlafzimmer, zog meine Schuhe an und hoffte, dass sie bald anrufen würde. Aber eine Stunde verging ohne Antwort auf meine SMS. Es wurde allerdings angezeigt, dass sie meine Nachricht gelesen hatte.

*Schämt sie sich für das, was wir letzte Nacht getan haben?*

Wenn sie angerufen oder zurückgeschrieben hätte, hätte ich ihr sagen können, dass zwischen uns alles in Ordnung war und ich kein Problem damit hatte, dass wir so schnell im Bett gelandet waren. Aber wenn sie sich nicht bei mir meldete, würde sie vielleicht auf Ideen kommen, die einfach nicht stimmten.

Ich war kein Mann, der seine Gefühle zur Schau stellte. Aber in diesem Moment hätte ich der Frau meine unsterbliche Liebe gestanden.

*Wenn sie mich nur anrufen würde.*

Widerstrebend verließ ich das Haus, nachdem ich eine weitere Stunde auf ihren Anruf gewartet hatte. Ich ging in das Café und frühstückte wie jeden Morgen.

Jean füllte meine Kaffeetasse nach, während sie mich fragend ansah. „Also, was ist das Problem, Cayce?"

„Bin ich so leicht zu durchschauen?" Das gefiel mir gar nicht.

„Nun, du siehst aus, als wäre gerade dein Hund gestorben, also weiß ich, dass in deinem sonst so perfekten Leben etwas schiefgelaufen ist." Sie stellte die Kaffeekanne auf das weiße

Geschirrtuch, das sie auf den Tresen gelegt hatte. „Es könnte dir helfen, mit mir darüber zu sprechen."

Ich konnte nicht über meine Nacht mit Zurie sprechen. Sie würde sich nur noch schlechter fühlen, wenn sie herausfand, dass ich damit prahlte. „Sagen wir einfach, ich dachte, ich hätte eine großartige Verbindung zu jemandem, aber jetzt frage ich mich, ob sie nur einseitig war."

„Ich verstehe." Sie legte einen Finger an ihr Kinn und schien über mein Problem nachzudenken. „Der großartige Cayce Duran hat also endlich eine Frau gefunden, die nicht alles stehen und liegen lässt, um mit ihm zusammen zu sein. Interessant."

„Glaubst du, dass es Karma ist?" Das musste ich mich selbst fragen. „Ich habe bei einigen Frauen, mit denen ich zusammen war, einfach den Kontakt abgebrochen. Das muss ich zugeben. Aber sie hätte sich wenigstens verabschieden können."

„Also hat dich diese Frau verlassen, ohne sich zu verabschieden?"

Nickend griff ich nach der warmen Tasse Kaffee. „Ja. Und das ist für mich eine Premiere. Normalerweise muss ich die Frauen von mir losreißen, damit ich morgens gehen kann."

„Heißt das, du hast diese Frau zu *dir* nach Hause mitgenommen?"

„Ich weiß, dass ich so etwas selten mache. Aber ja, ich habe sie zu mir eingeladen. Und ich muss sagen, dass mich noch nie jemand verlassen hat, ohne ein Wort zu sagen oder mir zumindest eine Nachricht zu hinterlassen." Ich nahm meine Gabel und schob das Rührei auf meinem Teller herum. Mir war der Appetit vergangen.

Jean deutete auf meinen halb vollen Teller. „Soll ich das mitnehmen, Cayce?"

„Bitte." Ich legte die Gabel auf den Teller und schob ihn zu ihr.

„Weißt du, es gefällt mir nicht, dich so zu sehen." Sie nahm den Teller und verstaute ihn unter dem Tresen. „Wer ist die schreckliche Frau, die dir das angetan hat? Ich werde sie verprügeln", scherzte sie.

„Niemand, den du kennst." Ich wollte weder ihr noch irgendjemandem sonst einen Hinweis darauf geben, wen ich am Vorabend mit nach Hause genommen hatte. Obwohl ich Jean vertraute, wollte ich nichts riskieren.

„Ich kenne verdammt viele Leute. Also los", forderte sie mich heraus, während sie die Hände in die Hüften stemmte. „Keine Angst, ich beiße nicht, aber ich kann ihr zumindest die Meinung sagen."

Ich zuckte bei ihren Worten zusammen, als ich mich an den Biss erinnerte, den ich Zurie verpasst hatte. „Nein. Das wird nicht nötig sein. Vielleicht habe ich sie missverstanden."

Es hatte sich nicht so angefühlt, aber vielleicht hatte ich ihre Signale falsch gedeutet. Vielleicht war Zurie weiter gegangen, als sie gewollt hatte. Und vielleicht hatte sie das getan, weil sie gedacht hatte, dass es das war, was ich wollte.

Ich war in allem ehrlich zu ihr gewesen. Ich war nicht derjenige gewesen, der von ihr groben Sex verlangt hatte. Aber vielleicht schämte sich Zurie inzwischen dafür, dass sie so selbstbewusst gewesen war, um das zu bitten, was sie wollte. Sie hatte vielleicht das Gefühl, dass ich sie nach all den Dingen, die wir getan hatten, nicht mehr respektieren würde.

Aber das stimmte überhaupt nicht.

*Alles, was ich brauche, ist eine Chance, ihr das mitzuteilen.*

Ich hatte mein Handy auf den Tresen gelegt, damit ich es hörte, wenn Zurie mir eine Nachricht schickte. Als es klingelte, zuckte ich leicht zusammen. „Verdammt!"

„Du bist heute ganz schön schreckhaft." Jean schüttelte den Kopf, als sie wegging, um einen anderen Kunden zu bedienen, der am Tresen Platz genommen hatte.

Die Nummer des Immobilienmaklers leuchtete auf dem Bildschirm auf und ich nahm den Anruf an. „Hi, Bill. Ich hoffe, Sie haben gute Nachrichten für mich." Ich brauchte etwas, um mich aus der Betrübtheit herauszuholen, in die ich hineingeraten war.

„Die Eigentümer haben Ihr Angebot für das Grundstück am Strand angenommen. Sie sind bereit, den Kauf so schnell abzuschließen, wie Sie möchten."

Das waren großartige Neuigkeiten, aber ich konnte mich nicht wirklich darüber freuen. „Nun, am liebsten würden wir jetzt gleich den Vertrag unterschreiben."

„Sehr gut. Ich werde mich darum kümmern. Ich schreibe Ihnen eine Textnachricht mit allen Informationen darüber, wann und wo wir uns als Nächstes treffen. Bis später, Cayce."

Ich steckte das Handy in meine Tasche und legte einen Zwanzig-Dollar-Schein auf den Tresen. „Bis morgen, Jean."

„Hoffentlich geht es dir bis dahin besser. Ich wünsche dir einen schönen Tag."

Ich würde mich nur dann besser fühlen, wenn Zurie mich kontaktierte. Aber an diesem Tag hatte ich einiges zu erledigen, also musste ich sie aus meinem Kopf verbannen. Ich rief meine Brüder an und vereinbarte, dass wir uns zum Mittagessen in Sandy's Seafood Shack am Strand treffen würden.

Callan kam als Erster und setzte sich zu mir an den Tisch, den ich uns besorgt hatte. „Hast du schon bestellt?"

„Ja. Gebratene Shrimps, Krabben-Eierrollen und Jakobsmuschel-Kebabs als Vorspeise. Und einen Krug Bier." Ich fühlte mich immer noch nicht besser und die Vorstellung, meine Sorgen in Alkohol zu ertränken, war irgendwie tröstlich.

„Wie war dein Date gestern Abend?"

Ich kaute auf meiner Unterlippe herum und war mir nicht sicher, ob ich dazu etwas sagen sollte oder nicht. „Gut …"

„Du siehst nicht so aus, als ob es gut gelaufen wäre." Er hob die Hand und gab unseren anderen Brüdern, die gerade hereingekommen waren, ein Zeichen. „Hier drüben."

Jetzt, da alle drei anwesend waren, wusste ich, dass ich

nicht über das Fiasko meines Dates sprechen wollte.

„Großartig. Lasst uns mit unserem Meeting beginnen."

Chance blieb am Tresen stehen und bestellte etwas, als Chase auf uns zukam. „Ich hoffe, dass dieses Meeting gute Neuigkeiten für uns bereithält."

„Das tut es." Ich wusste, dass sie sich darüber freuen würden, dass wir wieder etwas auf unserer To-do-Liste abhaken konnten.

„Also, wie ist das Date gelaufen?", fragte Chase, als er Platz nahm.

„Gut", sagte Callan grinsend. „Das ist alles, was er bisher darüber gesagt hat. Aber in Anbetracht dessen, *wie* er das Wort gesagt hat, frage ich mich, was zum Teufel letzte Nacht wirklich passiert ist."

Chance kam und setzte sich mit einem Margarita in der Hand zu uns. „Ich habe immer noch einen Kater. Vielleicht habe ich es gestern übertrieben."

„Unser kleiner Bruder hat letzte Nacht mit einer süßen Señorita auf dem Tisch getanzt", informierte mich Callan. „Das hast du verpasst, großer Bruder."

„Oh ja, wegen seines tollen Dates", sagte Chance, bevor er einen Schluck probierte. „Meine Güte." Er verzog das Gesicht so komisch, dass wir alle in Gelächter ausbrachen. „Das ist gar nicht lustig. Es ist schlecht. Sehr schlecht. Und schmerzhaft." Er trank noch einen Schluck. „Oh Gott, lass es bald vorbei sein."

Zum Glück wurde meine Bestellung aufgerufen. Ich sprang schnell auf, um sie abzuholen. „Ich bin gleich wieder da."

„Und dann erfahren wir alles über dein heißes Date", sagte Chase.

Mein Herz war schwer in meiner Brust, als ich die Servierplatte und den Krug Bier holte. Ihr Gesprächsthema interessierte mich nicht. Also stellte ich alles auf den Tisch und ging zurück, um vier Biergläser zu holen, bevor ich meinen

Platz wieder einnahm. „Sie haben unser Angebot angenommen."

„Was?", fragte Callan mit schockiertem Gesicht. „Es sind weniger als vierundzwanzig Stunden vergangen, seit wir es abgegeben haben. Ich hatte nicht erwartet, vor nächster Woche etwas dazu zu hören."

„Nun, wir haben die Antwort, und sie lautet Ja." Ich füllte die Gläser mit Bier. „Also sollten wir anstoßen, um diesen besonderen Anlass zu feiern."

Chase hielt sein Glas hoch. „Ich wusste immer, dass wir es schaffen können."

Callan fügte hinzu: „Wir sind auf dem besten Weg, großartige Dinge zu tun."

Chance ergriff sein Glas und hielt es ebenfalls hoch. „Auf die harte Arbeit und die Belohnungen, die auf uns warten."

Ich prostete ihnen zu und wusste nicht, was ich sagen sollte, aber dann fiel mir etwas ein. „Auf euch. Ohne euch wüsste ich nicht, was ich tun sollte. Dem Himmel sei Dank für unsere Familie. Möge Gott uns in eine gesegnete Zukunft führen."

Wir stießen mit klirrenden Gläsern an und sagten alle: „Prost!"

Es fühlte sich gut an, mit meinen Brüdern zusammen zu sein und den Beginn unseres hoffentlich erfolgreichen Projekts zu feiern. Eines Projekts, das die Welt zum Besseren verändern würde.

Obwohl der Tag ohne eine Antwort von Zurie vergangen war, riss ich mich irgendwie zusammen. Ich war nicht so überglücklich, wie ich nach der hervorragenden Neuigkeit, die wir gerade erhalten hatten, hätte sein sollen. Aber ich war auch nicht mehr so niedergeschlagen wie zuvor, als ich festgestellt hatte, dass sie weg war.

Als ich mein Schlafzimmer betrat, fiel mein Blick auf die Seite des Betts, auf der sie gelegen hatte und die jetzt leer war. Mein Herz begann heftig zu schlagen und ich bekam kaum Luft. „Oh Gott, Zurie. Ich will nur mit dir reden!"

Als ich mein Gesicht mit meinen Händen bedeckte, wurde mir klar, dass ich mich noch nie so gefühlt hatte. Besorgt. Unsicher. Krank.

Ich zog meine Hände von meinem Gesicht, holte mein Handy aus der Tasche und schrieb ihr eine SMS.

**- Du könntest mich wenigstens wissen lassen, ob du wohlbehalten nach Hause gekommen bist, damit ich aufhören kann, mir Sorgen um dich zu machen und mir alle möglichen schrecklichen Dinge auszumalen. -**

Ich warf das Handy aufs Bett und ging ins Badezimmer, um mich auszuziehen und zu duschen. Ich war mir sicher, dass sie darauf reagieren würde. Aber als ich ins Bett ging und nach meinem Handy griff, stellte ich fest, dass sie die SMS zwar gelesen, sich aber wieder nicht die Mühe gemacht hatte, sie zu beantworten.

Ich war plötzlich von dem überwältigenden Drang erfüllt, das Handy an die Wand zu schleudern. Stattdessen drehte ich mich um und legte es auf den Nachttisch. „Ich darf nicht zulassen, dass sie mir so unter die Haut geht."

*Was habe ich nur falsch gemacht?*

# KAPITEL ZEHN

## ZURIE

„Niko, ich kann das nicht." Ich stand vor seinem Schreibtisch. Mein Körper zitterte und meine Hände waren hinter meinem Rücken ineinander verschlungen.

Er beugte sich nach unten und holte etwas unter seinem Schreibtisch hervor. Ein Aktenkoffer. Er legte ihn auf den Tisch, öffnete ihn und drehte ihn zu mir. Ich sah reihenweise Bündel aus Hundert-Dollar-Scheinen. „Ich habe nicht nachgezählt, sondern einfach den Koffer für Sie vollgemacht."

Ich stand mit offenem Mund da. Ich hatte noch nie in meinem Leben so viel Geld gesehen und hätte nicht gedacht, dass ich es jemals tun würde. „Niko, bitte."

„Ich kann es sehen, wissen Sie. Ihr Gesicht ist gerötet. Ihre Haut leuchtet. Ihre dunklen Augen sind heller als sonst. Sie haben ihn. Und genau das brauche ich." Er lehnte sich in seinem Stuhl zurück und musterte mich von oben bis unten. „Es ist nicht schwer. Sagen Sie ihm einfach, dass Sie nie eingewilligt haben und dass sein Leben ruiniert ist. Sagen Sie ihm, dass ich alles wieder für ihn in Ordnung bringen kann, wenn er zu mir kommt."

„Er wird nicht zu Ihnen kommen." Ich wusste jetzt genug über Cayce, um mir sicher zu sein, dass er niemals zu jemandem wie Niko Armstrong zurückkriechen würde. „Er wird es Ihnen nicht leichtmachen, ihn zu erpressen, glauben Sie mir."

„An Ihrem Hals ist ein rötlich-violetter Fleck. Ich wette, er hat auch woanders Spuren hinterlassen." Er nickte, als könnte er durch meine Kleidung hindurchsehen. „Das können Sie gegen ihn verwenden."

Es beunruhigte mich, dass er so leicht verstanden hatte, was ich beabsichtigt hatte. Vielleicht war ich ihm ähnlicher, als ich dachte. Ich zitterte bei dem Gedanken vor Abscheu.

„Und wenn ich mich weigere?" Ich musste wissen, wie weit er gehen würde. Ich musste wissen, ob ich damit umgehen konnte oder nicht.

Er schloss den Aktenkoffer, stellte ihn wieder unter seinen Schreibtisch und sah mir dann mit purer Boshaftigkeit in die Augen. „Zurie, wie wollen Sie nach Südafrika zurückkehren, wenn Sie völlig pleite sind?"

„Ich bin nicht völlig pleite." Ich wusste, dass er nicht herausgefunden haben konnte, dass ich nur sehr wenig Geld auf meinem Bankkonto hatte. Also hatte ich das Gefühl, dass ich ein wenig bluffen konnte.

„Oh, richtig. Die zweihundert Dollar auf Ihrem Konto." Er lachte, als ob er sich für urkomisch hielt. „Ich bin mächtiger, als Sie ahnen. Und wenn ich Sie feuere, haben Sie Ihren Notgroschen schnell aufgebraucht. Was machen Sie dann?"

„Ich glaube, Sie vergessen meinen Ex Reece." Er würde mich nicht auf der Straße verhungern lassen.

„Wollen Sie den armen Kerl wirklich in diese Sache hineinziehen?" Seine zusammengekniffenen Augen sagten mir, dass es eine Drohung war. Ich war mir nicht sicher, was genau er andeutete, aber es war eine Drohung.

„Nicht wirklich. Eigentlich überhaupt nicht. Aber ich möchte auch nicht, dass Sie denken, dass ich gar niemanden habe, der mir hilft. Wenn Sie mich feuern, kann ich mir einen anderen Job suchen."

„Keinen, bei dem Sie so viel verdienen wie hier. Und wenn ich dafür sorge, dass bekannt wird, warum Sie gefeuert wurden, wird es Sie den Rest Ihres Lebens verfolgen und niemand wird Sie einstellen. Nicht einmal zum Mindestlohn. Wissen Sie, nicht viele Leute stellen gerne jemanden ein, der seinen Arbeitgeber bestohlen hat."

„Niko, hören Sie", sagte ich, da ich wusste, dass ich meine Taktik ändern musste. „Ich kann mich nicht dazu überwinden, Cayce zu schaden. Es tut mir leid, dass ich Ihnen überhaupt gesagt habe, dass ich so etwas tun könnte. Ich kann es nicht. Ich kann es einfach nicht."

„Sie können und Sie werden." Er wandte sich seinem Computer zu und begann, darauf herumzutippen. „Sie werden es tun, weil ich Ihnen sonst das hier anhängen werde."

Ich sank auf den Stuhl hinter mir. *Warum bin ich überhaupt in das Büro dieses Mannes gekommen?*

Als er den Bildschirm zu mir drehte, stockte mir der Atem. Er hatte sich mit meinem Benutzerprofil eingeloggt, das Gehaltskonto der Firma gehackt und zwölftausend Dollar auf mein privates Bankkonto überwiesen.

„Wie …?", stammelte ich ungläubig.

Er lachte wie ein Verrückter und schüttelte den Kopf. „Ich bin zu mehr in der Lage, als Sie ahnen. Und jetzt sieht es so aus, als hätten Sie die Firma bestohlen. Das Geld ist bereits auf Ihrem Konto. Nur zu, überprüfen Sie es."

Ich holte mein Handy aus der Tasche, öffnete die App meiner Bank und stellte fest, dass er recht hatte. „Scheiße!"

„Ja, scheiße. Wie auch immer, ich erwarte, dass Sie diese Sache so schnell wie möglich erledigen. Die Spuren, die er auf Ihrem Körper hinterlassen hat, dürfen nicht verblassen, sonst müssen Sie es noch einmal tun." Er zog eine Augenbraue hoch und fügte hinzu: „Ich bin sicher, Sie hatten Ihren Spaß, aber ich möchte nicht darauf warten, dass Sie sein Verbrechen nur zum Vergnügen nachstellen. Außerdem ist es schwierig, einen sexuellen Übergriff zu beweisen, wenn das Opfer freiwillig zum Täter zurückgekehrt ist."

Ich sah keine andere Möglichkeit, als zu betteln. „Niko, bitte, ich flehe Sie an. Zwingen Sie mich nicht dazu. Nehmen Sie das Geld von meinem Konto. Machen Sie die Überweisung rückgängig. Sie wollen bestimmt nicht, dass ich ins Gefängnis komme." Ich wusste, dass meine Mutter und meine Schwester verloren waren, wenn ich ihnen kein Geld mehr nach Hause schicken konnte. Sie konnten nicht einmal einen Monat ohne mich zurechtkommen. Ich war alles, was sie hatten. Ich durfte nicht im Gefängnis landen.

„Das mache ich, sobald Sie tun, was ich von Ihnen verlange." Er lächelte, als hätte er mir ein großartiges Angebot gemacht. „Beeilen Sie sich. Ich hasse es zu warten. Und ich hasse schwache Menschen. Im Moment wirken Sie ziemlich schwach. Sobald jemand bei mir in Ungnade gefallen ist, gibt es kein Zurück. Lassen Sie es nicht so weit kommen, Zurie."

Als ich aufstand, wusste ich, dass ich immer tiefer in seine Falle tappte. „Niko, ich versuche es. Mehr kann ich nicht tun."

„Sie *werden* erfolgreich sein oder Sie landen im Gefängnis. Ich kann mehr Geld von meinem Unternehmen auf Ihr Konto überweisen. Sobald es mehr als hunderttausend Dollar sind, bedeutet das viele Jahre Haft in einem Gefängnis hier in Texas."

„Ich melde mich." Ich musste sein Büro verlassen. In seiner Anwesenheit konnte ich kaum atmen und ich hatte das Gefühl zu ersticken. Es war, als würde ich sterben.

Noch nie war jemand so grausam zu mir gewesen. Ich hätte nicht gedacht, dass es sich so niederschmetternd anfühlen würde. Ich hatte keine Ahnung gehabt, wie schwer das Gewicht sein könnte, das jetzt auf meinen Schultern lastete. Aber ich hatte keine Wahl. Ich musste tun, was er wollte, oder ich würde ins Gefängnis kommen.

„Lassen Sie mich nicht warten. An jedem Tag, der vergeht,

überweise ich mehr Geld, und Ihr Verbrechen wird immer schlimmer."

Ich versuchte, nicht auf ihn zu hören, als ich sein Büro verließ. Mit gesenktem Kopf ging ich zurück in die Forschungsabteilung. Ich spürte, wie mein Handy in meiner Tasche vibrierte und zog es heraus, nur um zu sehen, dass Cayce mir eine SMS geschickt hatte.

**- Letzte Nacht war großartig. Ich vermisse dich heute Morgen. Ruf mich an, dann treffen wir uns zum Frühstück. -**

Mein Finger schwebte über dem Bildschirm. Aber dann steckte ich das Handy wieder in meine Tasche. Ich durfte nicht reagieren, wenn ich das durchziehen wollte, was ich tun musste. Es musste so aussehen, als ob ich unsere gemeinsame Nacht bereute.

Ich bereute sie, aber nur dahingehend, dass ich sie gegen ihn verwenden musste. Was wir getan hatten, war unglaublich gewesen. Es war nicht leicht gewesen, aufzustehen und ihn zu verlassen, als er eingeschlafen war. Ich hatte ein Uber gerufen und war noch vor Sonnenaufgang aus seinem Haus verschwunden.

Der Mann war schlafend genauso heiß gewesen wie im Wachzustand. Aber Cayce war weit mehr als nur ein heißer Kerl. Er hatte einen guten Charakter. Er hatte Mitgefühl. Er hatte alles.

Es machte mich traurig, dass ich ihn nicht früher kennengelernt hatte. Dann hätte Niko mich niemals dazu benutzen können, Cayce zu erpressen.

Als ich die Tür zur Forschungsabteilung öffnete, sahen alle von ihren Computern zu mir auf. Ich versuchte, ihre Blicke zu ignorieren, während ich meinen Platz einnahm. Sobald ich meinen Computer einschaltete, stellte ich fest, dass der Bildschirm genau anzeigte, was Niko mit meinem Benutzerprofil getan hatte, also schloss ich schnell das

Programm. Er hatte mich in der Hand. Ich war erledigt. Egal, was ich tat.

In der Nacht hatte ich den Eindruck gehabt, dass das, was ich Cayce antun musste, uns beiden schaden würde. Jetzt wusste ich, dass es die Wahrheit war. Danach würde ich nie mehr dieselbe sein. Niemals.

„Das war eine ziemlich lange Toilettenpause", sagte Noreen, als sie sich um die dünne Wand beugte, die unsere Schreibtische voneinander trennte. „Ist Ihnen nicht gut, Zurie?"

„Mir geht es großartig." Ich öffnete eine Datei des aktuellen Forschungsprojekts. „Danke der Nachfrage."

„Sie waren fast eine Stunde weg."

„Ja. Sie haben recht." Es war nicht so, als könnte ich ihr sagen, wo ich wirklich gewesen war. „Ich habe gestern bis spät in die Nacht gearbeitet und ich bekomme Magenbeschwerden, wenn ich zu lange aufbleibe." Ich klang wie eine alte Frau. Meine Mutter klagte immer darüber, also wusste ich, dass es für manche Leute ein echtes Problem war.

„Oh, meine Großmutter hat auch solche Beschwerden. Tut mir leid, das zu hören, Zurie. Vielleicht sollten Sie sich in Ihrer Mittagspause etwas in der Apotheke besorgen", sagte sie hilfsbereit.

„Ja. Das werde ich machen." Ich deutete auf meinen Computer. „Aber jetzt muss ich wieder an die Arbeit. Ich bin im Rückstand, weil ich eine Stunde nicht an meinem Schreibtisch war."

„Oh ja. Tut mir leid."

Ich wusste, dass ich nicht vor meinen Kollegen weinen konnte. Aber ich wollte es tun. Mein Leben war ruiniert. Ich war eine Närrin gewesen, jemals zu glauben, ich könnte so etwas Böses tun.

Geld war wirklich die Wurzel allen Übels. Das wusste ich jetzt ganz genau. Hätte ich nicht versucht, an Geld für meine Familie zu kommen, wäre nichts von all dem passiert.

*Und ich hätte diese wundervolle Nacht mit Cayce nicht gehabt.*

Zumindest etwas Gutes war dabei herausgekommen. Aber bald würde Cayce die Nacht bereuen, in der wir uns geliebt hatten. Und ich wusste, dass ich das Gleiche tun würde. Es war unvermeidlich. Wenn ich sah, wie ich Cayce zerstört hatte, würde es mich zerstören und ich würde mir wünschen, ich hätte den Mann nie getroffen.

Manche würden sagen, es sei besser, geliebt und gelitten zu haben, als überhaupt nie geliebt zu haben. Das konnte ich nicht behaupten. Es wäre besser gewesen, wenn ich nie von Cayce Duran gehört hätte. Es wäre besser für uns beide gewesen.

Ich musste das alles aus meinem Kopf verbannen, damit ich meine Arbeit erledigen konnte. Das Letzte, was ich gebrauchen konnte, war, die Aufgaben, die mir zugewiesen worden waren, nicht rechtzeitig fertigzustellen. Wenn das passierte, würde mein Vorgesetzter kommen, um zu überprüfen, was ich an meinem Computer gemacht hatte, und sicherzustellen, dass ich nicht während der Arbeit in den sozialen Medien herumhing oder meine Zeit mit Online-Shopping verbrachte.

Wenn er jetzt auf meinem Computer nachsehen würde, wäre ich in großen Schwierigkeiten. Und das konnte ich nicht zulassen. Ich musste bei der Arbeit mein Bestes geben. Zumindest bis ich erledigte, was Niko von mir verlangte, und er alles löschte, was er getan hatte, um mich des Diebstahls zu beschuldigen.

Als ich mich spät am Abend ins Bett legte, hörte ich, wie eine SMS einging, und schaute auf mein Handy.

**- Du könntest mich wenigstens wissen lassen, ob du wohlbehalten nach Hause gekommen bist, damit ich aufhören kann, mir Sorgen um dich zu machen und mir alle möglichen schrecklichen Dinge auszumalen. -**

*Ah, aber du musst dir Sorgen machen, Cayce. Das musst du wirklich.*

# KAPITEL ELF

## CAYCE

Nach einer unruhigen Nacht voller Albträume wachte ich mit
Kopfschmerzen auf. Alles, was ich tun wollte, war, in meinem
Bett zu bleiben und all die negativen Gefühle zu verdrängen.
Aber das Leben ging weiter, und das wusste ich auch. Also
stand ich auf, zog mich nach meiner morgendlichen Dusche an
und wollte dann zum Café fahren, um dort zu frühstücken.

Als sich das Tor am Ende meiner Einfahrt öffnete, sah ich,
dass dort ein kleines silbernes Auto stand. Zurie stieg aus. Sie
hatte die Arme in die Hüften gestemmt, ihre Haare waren zu
einem straffen Pferdeschwanz zusammengebunden und ihre
Stirn war gerunzelt. Keine Freude leuchtete in ihren Augen.
Kein Lächeln umspielte ihre Lippen. Mein Instinkt sagte mir,
dass sie gar nicht glücklich war.

Ich parkte und stieg aus meinem Truck. „Zurie. Ich bin
froh, dass du gekommen bist."

„Wir müssen reden."

„Ich habe Zeit. Komm. Lass uns reingehen."

Sie schüttelte den Kopf und sagte scharf: „Nein! Ich gehe
nicht mit dir ins Haus."

„Zurie, was ist los?" Ich sah mich um und entdeckte einen meiner Nachbarn, der gerade seinen Briefkasten am Bordstein leerte. „Hi, Mr. Stone. Heute ist ein schöner Morgen, nicht wahr?"

Er wirkte ein wenig besorgt, als er Zuries angriffslustige Haltung sah. „Ja. Alles okay, Cayce?"

„Sicher." Ich trat näher an Zurie heran, damit wir uns unterhalten konnten, ohne belauscht zu werden. „Zurie, bitte komm rein und rede mit mir, damit die Nachbarn sich keine Sorgen machen."

„Ich gehe nirgendwo mit dir hin", sagte sie mit leiser Stimme. „Ich will keine Szene machen, aber du sollst wissen, dass ich glaube, dass du mir neulich etwas verabreicht hast."

Meine Augen weiteten sich bei ihrer Anschuldigung. „Was meinst du?"

„Du hast mir eine Flasche Wasser gegeben. Ich glaube, du hast etwas hineingemischt."

Ich stieß den Atem aus. „Zurie, wie kannst du so etwas denken? So bin ich nicht."

„Ich habe mich in dieser Nacht nicht wie sonst verhalten. Das war nicht ich." Ihre Wangen wurden rot, als wäre sie verlegen, aber Wut funkelte in ihren Augen. „Also los, gib es zu."

„Ich werde nichts zugeben, was ich nicht getan habe." Ich hatte mir Sorgen gemacht und mich unsicher gefühlt, aber jetzt war ich nur noch zornig. „Du kannst nicht einfach hierherkommen und mir so etwas vorwerfen."

„Nun, was erwartest du von mir?", fragte sie, als sie ihren Oberkörper umklammerte. „Du hast mir Dinge angetan, die ich dir nie erlaubt hätte." Sie zog ihr Oberteil zur Seite und zeigte mir die Bissspuren, die ich auf ihrer Schulter hinterlassen hatte. „Das hast du mir angetan."

„Weil du mich darum gebeten hast", wandte ich fassungslos ein. „Hör zu, ich bin mir nicht sicher, was hier los ist. Aber ich habe ein schreckliches Gefühl. Zurie, wir haben etwas Schönes geteilt. Jetzt lässt du es widerlich und hässlich klingen."

„Weil es das war."

Sie hätte mir genauso gut eine Ohrfeige geben können. Schockiert trat ich ein paar Schritte zurück. „Zurie, nicht."

„Also willst du nicht wissen, wie ich mich deinetwegen gefühlt habe?" Wut tanzte in ihren dunklen Augen. „Du willst nicht wissen, dass ich weinend aufgewacht bin, aus Scham über das, was passiert ist? Du willst nicht hören, dass ich glaube, dass du mir etwas verabreicht hast, das mich dazu gebracht hat, mich so seltsam zu benehmen?"

„Bitte hör auf, das zu sagen. Ich habe nichts dergleichen getan. Ich habe dir eine Flasche Wasser direkt aus meinem Kühlschrank gegeben. Du hast den Verschluss selbst aufgeschraubt. Wie hätte ich etwas in das Wasser mischen können?"

„Man kann mit einer Nadel ein winziges, fast unsichtbares Loch in den Deckel einer Plastikflasche stechen und etwas in das Getränk spritzen. Substanzen, die eine Person dazu bringen, Dinge zu tun, die sie normalerweise nicht tun würde." Sie starrte mich an, ohne zu blinzeln. „Ich glaube, du hast mir Ecstasy verabreicht."

Bei ihren Worten zuckte ich zusammen. „Glaubst du ernsthaft, dass ich so etwas in deine ungeöffnete Wasserflasche gemischt habe? Ich habe noch nie in meinem Leben Drogen genommen, Zurie. Ich weiß gar nicht, wo ich so etwas besorgen sollte. Und ich kann nicht glauben, dass du hier stehst und mir etwas so Schlimmes vorwirfst."

„Vor dir hatte ich noch nie Spuren auf meinem Körper." Sie neigte den Kopf und fragte: „Und hast du nicht gesagt, dass ich dir gehöre?"

Das hatte ich, aber so hatte ich es nicht gemeint. „Zurie, das war nur Gerede beim Sex, sonst nichts. Ich weiß, dass du mir nicht gehörst und ein eigenständiger Mensch bist. Was wir gemacht haben, war nichts Schlimmes." Ich hatte bereits vermutet, dass sie sich für das, was sie getan hatte, schämte, aber ihre tatsächlichen Gefühle waren viel extremer. „Zurie, ich möchte nicht, dass du so über mich denkst – oder über unsere gemeinsame Nacht. Was kann ich tun, um das wieder in Ordnung zu bringen?"

„Was du tun kannst?" Sie sah zum Himmel und warf ihre Hände in die Luft. „Was könnte das wieder in Ordnung bringen? Ich fühle mich benutzt und missbraucht und wurde gegen meinen Willen unter Drogen gesetzt. Um Gottes Willen, ich habe nicht einmal Alkohol getrunken. Ich kann nicht dafür verantwortlich gemacht werden, was ich mit dir getan habe."

„Nur du und ich wissen, was in meinem Schlafzimmer vorgefallen ist. Ich werde es niemandem erzählen und du musst das auch nicht. Tu so, als wäre es nie passiert, wenn du willst. Aber denke bitte nicht eine Sekunde, dass ich dir etwas verabreicht habe, denn das habe ich nicht getan. So etwas würde ich *niemals* tun."

„Ich weiß nichts über dich." Ihre Lippen verzogen sich. „Woher soll ich wissen, dass du nicht den Ruf hast, ahnungslosen Frauen so etwas anzutun?"

Sex mit fremden Frauen zu haben war offensichtlich eine verdammt schlechte Idee. Ich hatte es schon öfter getan, als ich zugeben wollte, aber die Konsequenzen waren noch nie so schlimm gewesen. „So einen Ruf habe ich nicht."

„Hast du den Ruf, mit vielen Frauen zu schlafen?"

„Ich weiß nicht, was das damit zu tun hat." Ich hasste ihre Denkweise.

„Vielleicht war es den anderen Frauen, denen du das angetan hast, wegen deines guten Aussehens egal. Vielleicht waren sie einfach nur froh, eine Kostprobe davon zu bekommen, was du zu bieten hast. Aber ich bin nicht so. Ich hatte nur sehr wenige Sexpartner. Ich hatte noch nie Sex mit einem Mann, den ich weniger als sechs Monate kenne. Also erkläre mir, warum ich bei dir innerhalb weniger Minuten zu einer Hure wurde."

„Einer Hure?" Ich schüttelte den Kopf und war entsetzt darüber, dass sie sich so bezeichnete. Ich konnte spüren, wie mir das Herz brach bei der Erkenntnis, dass sie nicht die Person war, für die ich sie gehalten hatte. „Ich würde auch gerne wissen, warum du dich so verändert hast. Du warst in unserer gemeinsamen Nacht völlig anders als jetzt." Das war die Wahrheit. Ich hatte ihr nichts verabreicht, um ihr Verhalten zu ändern. Aber vielleicht hatte sie psychische Probleme, zum Beispiel eine schizoide Persönlichkeitsstörung. Nicht, dass ich ihr sagen würde, dass ich dachte, sie könnte verrückt sein.

Einer Frau so etwas zu sagen endete nie gut.

Sie verschränkte die Arme vor der Brust, als wollte sie ihren Körper vor mir schützen. „Ich weiß nur, dass ich bei klarem Verstand war, als ich aus dem Badezimmer kam, aber dann habe ich das Wasser getrunken und mir wurde ganz heiß. Ich begehrte dich und wollte Dinge, die ich noch nie zuvor gewollt hatte."

„Und wie du dich bestimmt erinnerst, habe ich immer wieder nachgefragt. Ich habe dich immer wieder gefragt, ob du das auch wirklich tun möchtest. Ich habe dich zu nichts gezwungen. Tatsache ist, dass du mit dem Sex und allem, was wir dabei getan haben, angefangen hast. Du hast mich gebeten, dich zu beißen. Du hast mich gebeten, Spuren auf deinem Körper zu hinterlassen. Ich stehe nicht auf diesen Mist. Ich dachte, dass du es tust. Aber dann hast du geweint und ich wusste, dass du dachtest, ich wollte es. Ich habe dir gesagt, dass es nichts ist, was ich brauche oder will. Und dann habe ich dich zärtlich geliebt. Es war sanft und richtig."

Eine Träne rann über ihre Wange und sie wischte sie schnell weg. „So habe ich es nicht in Erinnerung."

Mir fiel auf, dass sie meinen Namen nicht sagte. Das musste bedeuten, dass sie sich innerlich von mir distanzierte. „Zurie, wenn du mir so etwas vorwerfen willst, kannst du mich zumindest bei meinem Namen nennen. Sag meinen Namen,

Baby. Wir können über diese Sache reden. Ich will nicht, dass du dich schlecht fühlst. Und ich werde dir nicht den Rücken kehren, nur weil du ein Problem mit dem hast, was wir getan haben. Ich schwöre bei Gott, dass ich dich nie wieder anrühren werde, wenn es das ist, was du willst. Aber ich möchte nicht, dass du dich so fühlst wie jetzt. Ich werde alles tun, damit es dir besser geht." Ich hatte keine Ahnung, was das sein würde, aber ich war verzweifelt genug, um Hilfe für sie zu suchen.

Sie schüttelte den Kopf und flüsterte: „Ich will nichts von dir. Du kannst diese Sache nicht wieder in Ordnung bringen. Du kannst die Zeit nicht zurückdrehen und alles rückgängig machen. Bei Gott, ich wünschte, dass du es könntest." Sie hob den Kopf und sah mir endlich in die Augen. „Ich wünschte, du hättest darüber nachgedacht, warum ich mich plötzlich so verhalten habe. Ich wünschte, du hättest die Dinge, die ich angeblich wollte, nicht getan. Ich wünschte, du hättest mich einfach zu meinem Auto begleitet und wir hätten uns getrennt, ohne dass etwas zwischen uns passiert wäre. Jetzt ist es zu spät. Niemand kann es mehr ändern."

Der Zorn in mir hatte sich in pures Entsetzen verwandelt. „Was sagst du da, Zurie?"

„Ich weiß nicht, was ich sage." Weitere Tränen liefen über ihre Wangen. „Ich weiß nur, dass Dinge passiert sind. Dinge, die ich nicht wollte. Ich habe das Gefühl, den Verstand zu verlieren. Wenn du einfach zugeben könntest, was du getan hast, würde ich mich vielleicht nicht mehr so fühlen, als stünde ich am Rand einer Klippe und wäre kurz davor, in den Abgrund zu fallen. Verstehst du, dass ich das Gefühl habe, verrückt zu sein, wenn du deine Schuld nicht eingestehst? Oder soll ich das glauben?"

Ich musste mich nicht mehr fragen, ob sie vielleicht verrückt war. Ich wusste es jetzt mit ziemlich großer Sicherheit. „Zurie, ich kann nur sagen, dass es mir leidtut, dass du alles so negativ wahrgenommen hast. Ich dachte, wir wollten es beide. Es ist mir ernst damit, alles zu tun, was ich kann, um dir zu helfen. Wenn du eine Therapie machen willst, bezahle ich dafür. Wenn du einen Drogentest machen willst, damit du siehst, dass nichts in deinem Blut war, werde ich auch dafür bezahlen."

Sie schlug mit der Faust auf das Dach ihres Autos und brüllte: „Also denkst du, dass ich verrückt bin?"

„Bitte schreie nicht." Die Situation geriet außer Kontrolle. „Zurie, ich muss dich bitten, jetzt zu gehen. Du hast meine Nummer, wenn du weiterreden willst oder wenn du möchtest, dass ich für alles bezahle, was du brauchst." Ich hatte keine Ahnung, wie ich damit umgehen sollte. Außerdem begann ich, mir Sorgen zu machen, dass die Dinge, die ich gesagt hatte, gegen mich verwendet werden könnten – vor Gericht.

*Scheiße. Brauche ich einen Anwalt?*

Mit einem leichten Nicken stieg sie in ihr Auto und gab Gas, sodass die Reifen beim Wegfahren laut quietschten. Ich blieb zurück und es war, als würde ich in einem Albtraum feststecken.

Für mich fühlte sich nichts mehr echt an. Ich sah zum Himmel auf und beobachtete, wie weiße Wolken über den babyblauen Himmel zogen. Die Luft, die ich tief einatmete, war kühl und frisch und schien echt zu sein. Aber sonst nichts.

Auf keinen Fall hätte ich das ahnen können. Nicht, dass ich Zurie allein die Schuld daran geben konnte. Vielleicht wusste sie nicht einmal, dass etwas mit ihr nicht stimmte. Es war meine eigene Schuld, dass ich so leichtsinnig gewesen war.

*Gehe nie wieder mit einer Frau ins Bett, bevor du sie mindestens ein paar Wochen gekannt hast, du verdammter Dummkopf!*

# KAPITEL ZWÖLF

## ZURIE

Meine Hände umklammerten das Lenkrad und meine Augen brannten, als mir die Tränen über das Gesicht liefen. Mein eigenes Schluchzen brach mir das Herz noch mehr, als es schon gebrochen war. Ich fühlte mich schrecklich, aber ich wusste, dass es Cayce noch viel schlechter ging.

*Es tut mir so leid.*

Weil all die Tränen meine Sicht vernebelten, fuhr ich an den Straßenrand. Die Lügen, die ich erzählt hatte, gingen mir im Kopf herum, bis mir schlecht wurde, und das Gewicht, das auf meinen Schultern lastete, wurde noch schwerer. Ich hatte das Gefühl, es nicht mehr tragen zu können. Ich musste etwas davon loswerden.

*Aber wie?*

Ich suchte verzweifelt nach etwas, mit dem ich mir die Augen abwischen konnte, und nach einer Idee, die mich irgendwie retten würde. „Ich könnte Cayce einfach die Wahrheit sagen." Ich putzte mir die Nase mit ein paar Fast-Food-Servietten, die ich im Handschuhfach entdeckt hatte. Ich war ein komplettes Wrack. Ich atmete tief durch und versuchte, mich zu beruhigen und vernünftig nachzudenken.

*Drehe einfach um und sage dem Mann die ganze Wahrheit.*

Cayce könnte mir vielleicht sogar dabei helfen, aus der misslichen Lage herauszukommen, in die Nikos Erpressung mich gebracht hatte.

*Aber wird er es jetzt tun, nachdem du ihn dieser Folter ausgesetzt hast?*

Ich hatte gelogen. Wie konnte ich erwarten, dass Cayce ein Wort von dem glaubte, was ich jetzt sagte? Mein Bauchgefühl sagte mir, dass Cayce Duran ein guter Mann war. Vielleicht könnte er in seinem Herzen die Barmherzigkeit finden, mir meine Lügen zu verzeihen. Vielleicht würde er einen Weg finden, mir zu helfen.

Mein Handy, das auf dem Beifahrersitz lag, leuchtete auf. Als ich Nikos Namen auf dem Bildschirm sah, zuckte ich zusammen. „Bitte nicht jetzt."

Ich sah zu, wie der Anruf an die Mailbox weitergeleitet wurde, dann klingelte es erneut. Der Mann war hartnäckig. Widerstrebend nahm ich den Anruf entgegen. „Ja, Niko?"

„Sie kommen zu spät zur Arbeit. Ich hoffe, das bedeutet, dass Sie sich heute Morgen um alles gekümmert haben."

„Ich habe damit angefangen." Ich wusste, dass ihm das nicht reichen würde, und machte mich auf weitere Drohungen gefasst.

„Muss ich Sie daran erinnern, worüber wir gestern gesprochen haben? Ich werde jeden Tag mehr Geld überweisen, wenn Sie mich warten lassen."

„Ich weiß." Was konnte ich noch tun?

„Also haben Sie ihn heute Morgen gesehen?"

„Ja. Gerade eben." Ich schniefte. „Es war nicht leicht. Ich habe ihm gesagt, dass ich denke, er hätte etwas in die Flasche Wasser gemischt, die er mir an jenem Abend gegeben hat."

„Kluges Mädchen."

„Wie auch immer, er hat es natürlich abgestritten. Er ist

nicht der Typ Mann, der etwas zugibt, das er nicht getan hat. Das sollten Sie wissen, Niko. Es wird nicht leicht für mich werden. Ich wünschte wirklich, Sie würden mich nicht dazu zwingen, das zu tun. Ich wünschte, Sie würden meinen Kontostand korrigieren und mich einfach meine Arbeit machen lassen. Ich bin sicher, es gibt andere Frauen, die für so etwas besser geeignet sind. Ich bin es einfach nicht."

„Sie sind perfekt dafür, Zurie. Sie haben ihn innerhalb eines Tages ins Bett gekriegt und sich einen brillanten, plausiblen Plan ausgedacht. Wie soll er beweisen, dass er nichts in die Flasche Wasser getan hat? Ihre Aussauge steht gegen seine und Sie würden vor Gericht ziemlich sympathisch wirken, da bin ich mir sicher."

„Sie haben gesagt, ich soll ihn dazu bringen, zu Ihnen zurückzukehren. Ich würde diese Sache niemals vor Gericht bringen." Er konnte mich dazu zwingen, alle möglichen Dinge zu tun, aber nicht zu so etwas.

„Das weiß er aber nicht."

„Niko, ich kann verstehen, warum Sie denken, dass ich das gut mache. Aber es bringt mich um. Ich habe letzte Nacht überhaupt nicht geschlafen. Ich kann nichts essen. Mein Bauch tut weh." Ich wusste, dass er Schwäche hasste, aber im Moment war ich schwach. Es gab keine Möglichkeit, es zu verbergen.

„Glauben Sie, dass mich das interessiert?" Er lachte und mein Magen verkrampfte sich vor Angst. „Ich habe Sie wohl nicht richtig motiviert. Muss ich andere Wege finden, um Sie dazu zu bringen, das zu tun, was ich verlange?"

*O Gott, nein!*

„Es tut mir leid. Ich hätte Sie nicht mit meinen Problemen belasten sollen." Ich war mir nicht sicher, was ich sagen sollte, um den Mann zu besänftigen. Aber ich musste es versuchen. „Können Sie mir ein paar Ideen geben, wie ich Cayce sagen soll, dass er zu Ihnen gehen muss? Ich habe keine."

„Ich denke, das sollten *Sie* sich überlegen, Zurie. Und wenn ich Sie wäre, würde ich mich damit beeilen. Ich habe gerade eine weitere Überweisung vorgenommen. Diesmal waren es zwanzigtausend Dollar."

Das Blut gefror in meinen Adern. „Aber ich habe heute etwas erreicht. Können Sie mir nicht eine Pause gönnen, nachdem ich etwas getan habe, um Cayce genau dorthin zu bringen, wo Sie ihn haben wollen?" Der Mann war so ungerecht. „Niko, seien Sie vernünftig. Bitte."

„Ihr Betteln und Flehen wird langweilig, Zurie. Ich ändere meine Meinung nicht. Ich habe Ihnen gesagt, was passiert, bis Sie mir geben, was ich will. Sie sollten sich beeilen und an die Arbeit gehen. Es wäre schade, wenn Ihr Vorgesetzter die Gelegenheit hätte, sich die Vorgänge auf Ihrem Computer näher anzusehen."

Er beendete den Anruf, ohne mir die Möglichkeit zu geben, etwas zu sagen. Ich fuhr schnell weiter, weil ich Angst hatte, dass er tatsächlich meinen Vorgesetzten alarmieren würde.

Ich konnte jetzt deutlich erkennen, was mir bevorstand. Wenn ich Cayce nicht an Niko auslieferte, würde ich wegen Unterschlagung im Gefängnis landen.

Ich wischte die verschmierte Wimperntusche unter meinen Augen weg und tat mein Bestes, um anständig auszusehen, während ich wie eine Wahnsinnige zur Arbeit fuhr. Zehn Minuten später rannte ich durch das Gebäude zur Forschungsabteilung.

Tommy, mein Vorgesetzter, stand an der Tür. „Sie sind spät dran."

„Tut mir leid. Mir ging es heute Morgen nicht gut und ich habe eine Weile gebraucht, um mich zusammenzureißen."

„Sie sehen ziemlich mitgenommen aus. Sind Sie sicher, dass es Ihnen gut genug geht, um zu arbeiten?"

Ich musste es tun. „Natürlich. Mir geht es jetzt besser. Ich habe Medikamente für meinen Magen genommen. Es ist bestimmt nicht ansteckend."

Er reichte mir die Aufgabenliste für den Tag. „Hier ist die Arbeit von heute. Ich war kurz davor, mich selbst darum zu kümmern."

Mein Herz setzte einen Schlag aus, als mir klar wurde, dass er meinen Computer benutzt hätte, wenn ich nur eine Minute später eingetroffen wäre. „Ich hätte Sie anrufen sollen, um Ihnen mitzuteilen, dass ich zu spät komme. Entschuldigung, Tommy. Es wird nicht wieder vorkommen." Dafür würde ich sorgen. Dieses Risiko konnte ich nicht noch einmal eingehen.

Ich verdrängte mein tragisches Leben und machte mich an die Arbeit. Als ich mich darin verlor, fühlte ich mich etwas besser. Nicht mehr so aufgeregt. Und die Angst verflog. Aber die Erleichterung hielt nicht lange an.

Sobald mein Arbeitstag endete, stellte ich fest, dass die Angst mit aller Wucht zurückkehrte, während ich zu meinem Auto ging. Ich hatte eine Idee, was ich als Nächstes tun sollte, und ich freute mich überhaupt nicht darauf.

Ich setzte mich in mein Auto, nahm mein Handy und begann zu recherchieren, was Menschen taten, die sexuell missbraucht worden waren. Ich musste Cayce sagen, dass ich es auch getan hatte, damit er mich ernst nahm.

Da der Mann genau wusste, dass er nichts Falsches getan hatte, würde es nicht leicht sein, ihn zu irgendetwas zu zwingen. Wenn Niko nicht durch und durch böse gewesen wäre, hätte er das vielleicht verstehen können.

Während ich auf meinem Handy recherchierte, rief meine Mutter an. Ich nahm den Facetime-Anruf mit einem Lächeln im Gesicht entgegen, damit sie sich keine Sorgen um mich machte. „Hi, Mom."

Als sie mein Lächeln erwiderte, bemerkte ich, dass die Linien auf ihrer Stirn tiefer geworden waren und die Falten um ihren Mund noch schlimmer wirkten. Sie stand unter enormem Stress und er zeigte sich in ihrem Gesicht. „Hallo, Schatz. Wie war dein Tag?"

„Gut. Ich habe viel Arbeit erledigt. Wie geht es dir und Antiqua?"

„Die letzten Tage waren erträglich. Hauptsächlich, weil deine Schwester ein bisschen erkältet ist und viel geschlafen hat. Das hält sie zumindest davon ab, sich mehr zu bewegen, als sie sollte."

„Vielleicht könnte ich ihr einen elektrischen Rollstuhl kaufen, als Ersatz für den manuellen, den sie jetzt hat. Das würde ihr gefallen." Ich hatte nie genug Geld gehabt, um ihr so etwas zu kaufen. Aber jetzt war viel Geld auf meinem Bankkonto.

*Sei keine Närrin! Du darfst dieses Geld nicht anrühren.*

„Solche Rollstühle sind sehr teuer, Zurie. Das solltest du nicht tun. Mit dem Rollstuhl, den sie hat, kommt sie besser zurecht."

„Aber sie versucht immer, daraus aufzustehen und wegzulaufen. Wenn sie einen elektrischen Rollstuhl hätte, würde sie bestimmt sitzenbleiben und sich nicht noch mehr verletzen." Ich hatte eine Kreditkarte, mit der ich ihn kaufen konnte, ohne mein Bankkonto zu belasten.

*Ich muss etwas wegen dieses verdammten Bankkontos unternehmen.*

Der Monatserste stand vor der Tür und ich würde mein Bankkonto nutzen müssen, um meine Rechnungen zu bezahlen. Auch mein Gehaltsscheck wurde automatisch auf dieses Konto eingezahlt. Niko hatte alles durcheinandergebracht.

„Zurie, denke noch nicht einmal daran. Du hast kaum genug Geld für dich übrig nach allem, was du uns schon geschickt hast. Ich kann dich nicht bitten, noch mehr zu tun. Ihr geht es gut. Und mir auch." Sie hielt inne und fügte dann hinzu: „Nun, so gut wie möglich. Ich bin dankbar für deine Gesundheit. Ohne dich hätten wir nichts."

So dumm es auch sein mochte – bei dem Gedanken daran,

das einzige gesunde Mitglied meiner Familie zu sein, fühlte ich mich schuldig. Aber ich musste tun, was meine Mutter sagte. Sie hatte recht. Ich hatte gerade kein Geld für einen elektrischen Rollstuhl. Es gab ohnehin größere Probleme. „Ich kann sehen, dass ich diese Diskussion nicht gewinnen werde. Also gebe ich mich geschlagen. Es ist schön, dein Gesicht zu sehen, Mom."

„Es ist auch schön, dein Gesicht zu sehen, Zurie. Deine silbernen Haare haben mir anfangs nicht besonders gefallen, aber ich habe mich daran gewöhnt. Du siehst müde aus. Bekommst du genug Schlaf?"

Ich hatte überhaupt nicht geschlafen. „Ich habe einen Magen-Darm-Infekt, das ist alles. Ich werde es überleben."

„Pass gut auf dich auf, Schatz." Im Hintergrund hörte ich ein lautes Krachen und ihr Kopf wandte sich zur Seite. „Ich muss gehen. Bye, Zurie. Antiqua!"

Ich presste das Handy an meine Brust und wünschte, ich könnte die Arme meiner Mutter um mich spüren, während ihre sanfte Stimme mir sagte, dass alles gut werden würde.

Mit einem langen Seufzer legte ich das Handy auf den Beifahrersitz. Ich musste nach Hause und Pläne machen. Ich musste Kompromisse bei meinen moralischen Grundsätzen eingehen. Ich musste mich mehr bemühen, das Böse in mir zum Vorschein zu bringen.

Ich hatte gelesen, dass jeder Mensch sowohl Gutes als auch Böses in sich trug. Sogar der schlechteste Mensch hatte etwas Gutes in sich, genauso wie der beste Mensch etwas Schlechtes.

Bisher hatte ich genug Schlechtes in mir gefunden, um Cayce darüber anzulügen, wie ich über unsere gemeinsame Nacht dachte. Ich hatte das Gefühl, mit meiner Seele dafür zu bezahlen, dass ich diesen bösen Teil von mir an die Oberfläche gelassen hatte, aber es war trotzdem passiert.

Um meiner Familie zu helfen und nicht ins Gefängnis zu kommen, musste ich noch mehr von dem Bösen in mir auf Cayce ansetzen. Ich umklammerte meinen Bauch, als er sich verkrampfte. „Großartig, das ist genau das, was ich jetzt brauche."

In zwei Tagen sollte ich meine Periode bekommen und der überwältigende Stress, dem ich gerade ausgesetzt war, würde sie zu einem Albtraum machen.

*Noch etwas, das ich diesem Mistkerl Niko zu verdanken habe.*

# KAPITEL DREIZEHN

## CAYCE

Ich hatte keiner Menschenseele von Zurie und ihrem bizarren Verhalten erzählt. Irgendwie dachte ich, das alles würde von selbst verschwinden. Dass sie aufhören würde, sich so verrückt zu benehmen, und dass wir uns niemals wiedersehen würden.

Die Szenen aus jener Nacht waren mir den ganzen Tag durch den Kopf gegangen. Ich musste die Tatsache akzeptieren, dass sie vollkommen anders gewesen war, bevor sie mich plötzlich so aggressiv verführt hatte. Ich hätte das als Warnung sehen sollen.

Die starke Anziehung, die ich ihr gegenüber empfand, hatte mich davon abgehalten, der drastischen Veränderung ihrer Persönlichkeit mehr Aufmerksamkeit zu schenken. Vermutlich weil ich sie begehrt und darauf gehofft hatte, dass sie genauso empfand wie ich.

Seltsamerweise hatte sie sich ziemlich genau in das verwandelt, was ich gewollt hatte. Ich hatte keinen klaren Gedanken mehr fassen können und unsere gemeinsame Nacht war unglaublich gewesen. Aber wenn ich auf die Ereignisse zurückblickte, musste ich zugeben, dass Zurie angespannt gewirkt hatte. Die Sache mit der Markierung war ein wenig bizarr gewesen, besonders bei unserem ersten Mal. Die Tracht Prügel und der Biss waren mir auch sonderbar vorgekommen.

*Hat sie mich in eine Falle gelockt?*

Ich hatte versucht, mich von den Ereignissen an diesem Morgen abzulenken, indem ich fernsah. Aber bisher hatte es nicht funktioniert. Ich stand von der Couch auf und ging in die Küche, um mir etwas zu trinken zu holen.

Wenn Fernsehen nicht funktionierte, könnte Tequila helfen. Ich goss mir ein Glas ein und bemerkte, dass sich in meiner Magengrube ein Knoten gebildet hatte. „Du darfst dich davon nicht beunruhigen lassen. Du hast nichts falsch gemacht", redete ich mir ein, bevor ich den Tequila trank und das Glas nachfüllte.

Mein Handy klingelte und ich stellte fest, dass Zurie anrief. Einen Moment lang starrte ich nur auf den Bildschirm und fragte mich, ob ich den Anruf überhaupt annehmen sollte. Aber dann fiel mir ein, dass sie vielleicht anrief, um die Dinge mit mir zu klären.

Ich schloss meine Augen und betete, dass sie gute Nachrichten hatte. „Hi, Zurie. Ich freue mich, dass du dich meldest."

„Ich war im Krankenhaus und habe mich auf Spuren einer Vergewaltigung untersuchen lassen."

Das Zimmer begann, sich zu drehen, und ich taumelte zurück und sank auf einen Barhocker. „Was hast du getan?" Ich trank den Tequila, den ich mir gerade eingegossen hatte. Er brannte wie Feuer in meiner Kehle und setzte sich dann in meinem Magen fest.

„Ich sagte, dass ich im Krankenhaus war, um die Vergewaltigung zu dokumentieren."

„Zurie, warum machst du das? Du weißt, dass ich dich nicht vergewaltigt habe."

„Ich habe mich informiert. Wenn man jemandem etwas verabreicht, das sein Verhalten ohne seine Zustimmung ändern könnte, ist alles, was danach passiert, sexueller Missbrauch oder sogar Vergewaltigung." Ihre Worte waren wie ein Messerstich in mein Herz.

„Zurie, was wir getan haben, war keines dieser schrecklichen Dinge. Ich kann nicht glauben, dass du unsere Nacht in ein so ekelhaftes und schmutziges Licht rücken willst. Es war alles andere als das, und das weißt du verdammt gut." Ich hatte keine Ahnung, was aus mir werden würde, nachdem sie etwas so Drastisches getan hatte. „Muss ich jetzt damit rechnen, dass die Polizei hier auftaucht?"

„Ich habe im Krankenhaus keinen Namen genannt", sagte sie und ich war ein wenig erleichtert.

„Ich bin froh, dass du meinen Namen nicht genannt hast. Ich kann aber nicht fassen, dass du überhaupt deswegen im Krankenhaus warst. Es gab keinen Grund dafür. Ich habe nie behauptet, dass wir keinen Sex hatten. Du hast diese Prozedur völlig grundlos durchgemacht. Ich denke, du solltest meine Hilfe annehmen, Zurie. Ich denke, du hast vielleicht Probleme, über die du mit einem Psychologen sprechen solltest."

„Ich hatte gute Gründe dafür. Falls ich Beweise brauche."

„Beweise?" Meine Haut begann zu jucken. „Warum brauchst du Beweise, Zurie?"

„Warum hattest du Sex mit mir, obwohl ich mich eindeutig nicht wie ich selbst verhalten habe?"

„Okay, hör zu. Ich gebe zu, dass das, was wir getan haben, rückblickend ein Fehler war. Und es tut mir sehr leid. Das meine ich ernst. Aber ich habe nichts in dein Getränk gemischt. Wenn du etwas genommen hast, dann liegt das in deiner Verantwortung, nicht in meiner. Aber ich gebe dir recht. Ich hätte keinen Sex mit dir haben sollen, als du dein Verhalten so plötzlich geändert hast."

„Also gibst du es zu?", fragte sie mit etwas, das sich sehr nach Skepsis anhörte. „Du gibst zu, dass du Sex mit mir hattest, als ich nicht bei Verstand war?"

So etwas wollte ich nicht zugeben. „Nein. Das habe ich

nicht gesagt. Wir kennen uns nicht gut genug, um zu wissen, was für den jeweils anderen normal ist. Das war unser Fehler. Ich dachte, du hättest nur eine Weile gebraucht, um mit mir warm zu werden. Mir ging auch durch den Kopf, dass du vielleicht jemand bist, der keine öffentlichen Zuneigungsbekundungen mag, aber hinter verschlossenen Türen ein echter Freak im Bett ist."

„Also hältst du mich für einen Freak?"

*Ich muss wirklich die Klappe halten.*

Trotzdem redete ich weiter. „So meine ich das nicht. Ich meine, dass du deine Hemmungen vergessen kannst, wenn du mit einem Mann allein bist. Das war alles, was ich damit sagen wollte. Und es tut mir leid, dass ich es so ausgedrückt habe. Das hier ist eine viel zu wichtige Diskussion, um meine Worte nicht abzuwägen, bevor sie aus meinem Mund kommen."

„Das kann man wohl sagen", erwiderte sie. „Bisher hast du zugegeben, dass du keinen Sex mit mir hättest haben sollen, und du hast mich einen Freak genannt. Das war nicht sehr schlau von dir."

„Ja, das war nicht schlau." Und ich hielt mich für einen sehr klugen Mann. „Ich denke, das lässt sich ganz einfach regeln. Ich bin bereit, mich für alles, was ich getan habe und mit dem du nicht hundertprozentig einverstanden warst, zu entschuldigen. Und ich werde dich nie wieder anrühren. Ich werde dich nicht anrufen. Ich werde dir nicht schreiben. Ich werde nicht an dich denken. Ich werde dich nie wieder belästigen. Das schwöre ich dir. Wenn du das Ganze einfach vergisst, können wir beide mit unserem Leben weitermachen."

„Du scheinst zu denken, dass mich das nicht dauerhaft geprägt hat, Cayce."

„Zurie, ich habe dir nichts verabreicht. Ich habe nichts getan, um dein Verhalten in irgendeiner Weise zu beeinflussen. Dafür nehme ich nicht die Schuld auf mich. Es tut mir leid, wenn du das Gefühl hast, davon geprägt zu sein. Wirklich. Ich wollte dich nie in irgendeiner Weise verletzen und es tut mir weh, dass du jetzt verletzt bist. Ich bezahle gerne für jede Art von Therapie, die du brauchst, um damit umzugehen."

„Ich finde es seltsam, dass du mir das anbietest. Das sagt mir, dass du mir etwas verabreicht hast und jetzt einen Seelenklempner dafür bezahlen willst, dass er mir einredet, ich würde mir das alles nur einbilden. Es stinkt nach Schuld, wenn du mich fragst."

„Ich fühle mich nicht schuldig für das, was wir getan haben. Ich habe es genossen, mit dir zusammen zu sein. Ich dachte, wir hätten eine Verbindung. Eine echte Verbindung. Um ehrlich zu sein, habe ich mich noch nie so gefühlt wie bei dir." Es war wahrscheinlich eine schlechte Idee, so ehrlich zu ihr zu sein, aber ich wusste nicht, was ich sonst tun sollte. „Kannst du mir sagen, wie du dich währenddessen gefühlt hast, anstatt danach?"

Eine lange Stille war alles, was ich bekam, bevor sie flüsterte: „Währenddessen habe ich mich gefühlt, als wäre ich im Himmel."

Ich schloss die Augen und seufzte, als mein Herz einen Schlag aussetzte. „Ich auch, Zurie. Mir ging es genauso. Was wir hatten, war wirklich bemerkenswert."

„Aber das war nicht mein wahres Ich."

*Geht das schon wieder los?*

„Vielleicht war es dein wahres Ich und du bist einfach zu sehr damit beschäftigt, perfekt zu sein, um zuzugeben, dass du dich ganz natürlich verhalten hast. Vielleicht hat diese Regel von dir – mindestens sechs Monate zu warten, bevor du Sex mit jemandem hast – dazu geführt, dass du dich schuldig fühlst nach dem, was wir getan haben. Ich glaube nicht, dass Drogen bei deinem Verhalten eine Rolle gespielt haben – und ich habe dir auch nie welche gegeben. Du warst nicht benommen wie jemand, der Drogen konsumiert oder verbreicht bekommen hat. Du warst geistig anwesend. Was ich damit sagen will, ist, dass vielleicht dein Moralkodex verletzt wurde und du jetzt Schuldgefühle hast. Vielleicht hat sich dein Gehirn in die

Vorstellung geflüchtet, dass ich dich unter Drogen gesetzt habe, um dich ins Bett zu bekommen und zu tun, was ich wollte."

„Ich weiß nur, dass ich so etwas noch nie gemacht habe. Ich habe noch nie jemanden gebeten, Spuren auf meinem Körper zu hinterlassen. Und ich habe noch nie jemanden gebeten, mich zu beißen."

„Das glaube ich dir. Die Art und Weise, wie du reagiert hast, als ich das tat, sagte mir, dass du es noch nie zuvor erlebt hattest. Ich kann es mir nicht ganz erklären, zumal nicht ich diese Reaktion darauf hatte, sondern du. Ich habe mich nur gefragt, ob du versucht hast, mich zu beeindrucken, indem du solche Dinge verlangt hast. Und ich erinnere mich, dir gesagt zu haben, dass du das nicht für mich tun musst. Ich habe dir gesagt, dass ich nicht einmal auf solche Sachen stehe. Aber ich war mehr als bereit, dir zu geben, was du wolltest. Ich war bereit, dir alles zu geben, wonach du dich gesehnt hast."

„Du willst mir wohl sagen, dass du ein guter Liebhaber bist. Du gibst einer Frau alles, worum sie dich bittet, ohne darüber nachzudenken, was sie später davon halten könnte." Sie lachte bitter. „Wie wunderbar du bist, Cayce Duran. So großzügig."

„Sarkasmus passt nicht zu dir, Zurie." Ich hatte allmählich das Gefühl, dass sie gar nicht daran interessiert war, ihren Gefühlen auf den Grund zu gehen. Sie hängte lieber mir etwas an, als sich zu fragen, was in ihr vorging. Sie wollte mir die Schuld in die Schuhe schieben. „Ich versuche nur, dir dabei zu helfen, dich besser zu fühlen. Wie ich schon sagte, es tut mir weh, dass du deswegen verletzt bist."

„Du kennst mich nicht einmal. Warum kümmert es dich, ob ich verletzt und aufgebracht bin?"

„Weil ich eine Verbindung zu dir gespürt habe. Das ist mein Ernst."

Sie schwieg lange und fragte dann: „Warum hast du das getan? Warum hast du meinen Körper benutzt, während ich nicht wusste, was ich tat?"

Ich hatte versucht, ihr zu helfen, aber sie wiederholte sich wie eine zerbrochene Schallplatte. „Ich habe dir schon gesagt, dass ich nicht wusste, dass dir nicht klar war, was du tust. Du warst hellwach. Du warst nüchtern. Du warst in keiner Weise unzurechnungsfähig. Ich will, dass du aufhörst, mich solche Dinge zu fragen. Es ist, als ob du nicht einmal daran interessiert bist, herauszufinden, was dich dazu gebracht hat, dich so zu verhalten. Es ist, als ob du einfach nur mir die Schuld daran geben willst. Aber Tatsache ist, dass ich dir nichts verabreicht habe, um dich gefügig zu machen. Ich habe nur getan, was du von mir verlangt hast. Du warst diejenige, die mich verführt hat. Du warst diejenige, die gefragt hat, ob sie bei mir übernachten kann. Du warst diejenige, die mit der ganzen verdammten Sache angefangen hat!"

„Ich nehme an, es ist einfacher für dich, mir die Schuld zu geben", sagte sie mit schwacher Stimme. „Du musst denken, dass ich stark genug bin, um mit dem fertig zu werden, was du mir angetan hast. Du musst denken, dass du meine Gefühle ändern kannst, wenn du lange genug auf mich einredest. Aber das kannst du nicht."

„Ich versuche nichts davon. Ich wollte dir nur helfen. Aber ich habe es satt, das zu versuchen. Ich glaube nicht, dass du Hilfe willst. Ich glaube nicht, dass du dich besser fühlen willst. Du willst nur, dass jemand die Verantwortung dafür übernimmt, dass du endlich deinen sexuellen Wünschen nachgegeben hast. Du bist keine Hure für das, was du getan hast. Du bist in keiner Weise ein schlechter Mensch, weil du Sex mit mir hattest. Ich habe dich respektiert. Ich habe dich gut behandelt."

„Du hast mich in dein Bett gezerrt, obwohl ich mich nicht wie ich selbst verhalten habe."

Es reichte. Ich hatte genug. „Sag mir einfach, was zum Teufel du von mir willst, Zurie!"

*Sie muss eine Agenda haben.*

# KAPITEL VIERZEHN

## ZURIE

Ich hatte auf jedem einzelnen meiner Fingernägel herumgekaut, während ich mit Cayce sprach. Schuldgefühle hatten mich gequält bei jedem Wort, das ich sagte. Bis auf den Teil, wo ich ganz ehrlich gewesen war. Ich hatte mich in jener Nacht wirklich wie im Himmel gefühlt, besonders am Ende, als er so zärtlich und fürsorglich gewesen war. Aber das war das einzig Ehrliche gewesen, das ich zu ihm gesagt hatte.

Und jetzt hatte er mich gefragt, was ich wollte. Ich war mir nicht sicher, wie ich es sagen sollte. Aber meine Chance lag direkt vor mir.

„Du willst wissen, was zum Teufel ich will?" Ich biss mir auf die Unterlippe, weil ich die Worte nicht aussprechen wollte. Ich wollte ihm das nicht antun. Es zerriss mich innerlich. Meine einzige Hoffnung war, dass Niko mein Bankkonto und mich in Ruhe lassen würde, sobald es erledigt war. Aber ich wusste, dass ich mir nie verzeihen würde, was ich Cayce angetan hatte.

„Bring es endlich hinter dich, Zurie. Diese Scheiße ist

ekelerregend. Sag mir, was du von mir willst, und ich gebe es dir."

„Weil du dich schuldig fühlst?", fragte ich.

„Nein. Ich fühle mich nicht schuldig. Überhaupt nicht. Ich bin gereizt und will, dass dieses Gefühl verschwindet. Also, was wird es mich kosten, diese Situation in Ordnung zu bringen?"

Mein Körper verkrampfte sich, als ich versuchte, mich dazu zu überwinden, das zu sagen, was ich sagen musste. Ich krümmte mich vor Schmerz. *Oh Gott, meine nächste Periode wird schrecklich!*

Ich legte mich auf mein Bett und atmete ein paarmal tief durch, bis der Schmerz nachließ. Ich schloss die Augen und wusste, dass dies meine beste Chance war, ihm zu sagen, was Niko verlangte. „Niko Armstrong will dich und deine Brüder zurückhaben. Wenn du sie dazu bringst, zu Mantabo Industries zurückzukehren, ist alles wieder gut."

„Niko Armstrong?"

„Ja."

„Er steckt hinter all dem?"

„Ja."

Die Stille war ohrenbetäubend, während ich darauf wartete, dass er weitersprach. „Du hast mich also von dem Moment an belogen, als ich dich kennengelernt habe?"

„Ja." Ich konnte das Zittern in meiner Stimme spüren, als ich die Wahrheit zugab, und hoffte, dass er es nicht hörte. Tränen brannten in meinen Augen und ich kniff sie zusammen. „Aber dass ich wegen einer Vergewaltigung im Krankhaus war, ist keine Lüge." Ich wusste, dass ich Niko etwas geben musste, mit dem er ihn erpressen konnte. Ich durfte nicht ehrlicher sein, als ich schon gewesen war.

„Dann weißt du, dass du nicht unter Drogen gesetzt worden bist", sagte er.

Eine Sekunde lang dachte ich darüber nach, auch das zu gestehen. Aber dann entschied ich, dass es besser wäre, meinem Arsenal mehr Munition hinzuzufügen. „Im

Krankenhaus wurde eine Blutprobe genommen und es gab Spuren von Ecstasy darin. Es wird also so aussehen, als hättest du mich unter Drogen gesetzt."

„Heilige Scheiße. Du bist eine echte Schlampe, Zurie. Eine verdammte Schlampe. Du hast mich betrogen. Ich hoffe, er hat dich dafür gut bezahlt. Ich habe noch nie in meinem Leben mit dem Bösen zu tun gehabt, aber jetzt, da ich dich getroffen habe, weiß ich, wie es aussieht. Das musstest du mir nicht antun. Ich habe keine Ahnung, warum du es auf mich abgesehen hast."

*Ich musste es tun – ich hatte keine Wahl!*

„Geh morgen zu Niko. Nimm sein Angebot an und kehre mit deinen Brüdern in eure alten Jobs zurück. Dann ist das alles vorbei."

„Warum sollte ich das tun, Zurie? Damit Niko dich in Ruhe lässt? Fahr zur Hölle. Ich werde nicht einmal mit diesem Arschloch reden."

„Dann gehe ich mit den Beweisen zur Polizei. Du hast keine Wahl." Ich hätte nicht gedacht, dass er sich weigern würde, auch nur mit Niko zu sprechen.

„Geh ruhig zur Polizei. Dann werde ich den Beamten alles über diese Scheiße erzählen", sagte er mit purem Hass und Wut in seiner Stimme.

„Sie werden dir nicht glauben", drohte ich ihm schnell. Auf seine Reaktion war ich nicht vorbereitet. „Sie werden glauben, dass du dir das nur ausdenkst, um aus dieser Sache herauszukommen. Wir haben die Dokumente aus dem Krankenhaus. Bringe dich nicht in noch mehr Schwierigkeiten, Cayce. Rede einfach mit Niko. Du hast keine Ahnung, wie er ist – wozu er fähig ist. Kehrt in eure alten Jobs zurück. Das Gehalt ist gut. Ihr könnt nebenbei an eurem anderen Projekt arbeiten." Ich wusste nicht, warum ich ihm Ratschläge erteilte. Vielleicht wurde mir die Schuld zu viel. Ich wollte wirklich nicht, dass Cayce mit Niko oder dem Gesetz in Konflikt geriet.

„Hör zu, ich werde nicht damit zur Polizei gehen. Tu einfach, was Niko will."

„Fick Niko und fick dich, Zurie", knurrte er und beendete den Anruf.

Ich öffnete meine Augen und starrte an die Decke. Die weiße Farbe war stellenweise abgeblättert und es gab Spinnweben. Es war an der Zeit, eine Bestandsaufnahme meiner Situation vorzunehmen. Meine Seele war leer. Mein Herz war schwer. Und ich hatte das Gefühl, den Verstand zu verlieren.

Ich hatte gewusst, dass ich einen Teil von mir verlieren würde, wenn ich bei dieser Sache mitmachte. Ich würde ein Stück von mir verlieren und niemals zurückbekommen. Aber ich hatte keine Ahnung gehabt, wie groß dieses Stück sein würde.

Dunkelheit füllte meinen Körper, wo einst Licht gewesen war. Ich konnte mich nicht mehr als guten Menschen bezeichnen. Ich war alles andere als ein guter Mensch. Ich würde mich vom Bösen einnehmen lassen. Ich würde das Böse gewinnen lassen.

Ich rollte mich auf dem Bett herum, vergrub mein Gesicht in meinem Kissen und stieß das Schluchzen aus, das in meiner Kehle aufgestiegen war. „Ich bin ein Monster."

Eine Stunde lang weinte ich ununterbrochen. Als die Tränen zu trocknen begannen, stand ich auf und ging mir das Gesicht waschen. Aber ich konnte mich nicht dazu bringen, mein Spiegelbild zu betrachten. Nicht, weil ich dachte, dass ich nach all den Tränen schrecklich aussah, sondern weil ich mir selbst nicht mehr in die Augen schauen konnte.

Nachdem ich Cayce die Wahrheit gesagt hatte, gab es einige Dinge, die ich tun musste. Ich dachte, ich sollte damit anfangen, Niko anzurufen, und hoffte, dass ich mich besser fühlen würde, wenn ich es hinter mich gebracht hatte. Aber ich fühlte mich überhaupt nicht gut und würde es wahrscheinlich nie wieder tun.

„Hallo?", sagte er, als er ans Telefon ging.

„Er weiß jetzt, was er tun muss. Sie sollten gefälschte Dokumente vorbereiten. Ich habe ihm gesagt, dass ich heute Morgen im Krankenhaus war und untersucht worden bin. Er glaubt, dass mir Blut abgenommen wurde und dass es Spuren von Ecstasy in meinem Körper gab. Sie müssen Dokumente vorlegen können, um das nachzuweisen."

„Sie hätten tatsächlich ins Krankenhaus gehen sollen, Zurie. Aber das lässt sich nicht mehr ändern. Ich lasse mir etwas einfallen. Kann ich morgen früh mit ihm rechnen?"

„Das bezweifle ich." Ich wusste nicht, wie sich das auf unseren Deal auswirken würde, aber ich hatte alles getan, was ich konnte. „Er hat gesagt, dass er nicht mit Ihnen reden will und dass wir zur Hölle fahren sollen."

„Ich hoffe, Sie haben ihm gedroht, dass Sie ihn wegen Vergewaltigung bei der Polizei anzeigen", sagte er mit gereizter Stimme.

„Ja. Er hat behauptet, er würde den Beamten einfach von unserem Erpressungsversuch erzählen." Ich hatte keine Ahnung, wie ich Cayce dazu bringen könnte, das zu tun, was Niko wollte. „Ich habe ihm gesagt, dass ihm niemand glauben würde. Dass alle denken würden, er würde lügen, um Ärger zu vermeiden. Das schien er mir aber nicht zu glauben."

„Okay, neuer Deal, Zurie. Da Sie getan haben, was ich von Ihnen verlangt habe, werde ich die Sache mit dem unterschlagenen Geld beheben. Aber Sie bekommen den Aktenkoffer voller Bargeld erst, wenn Cayce und seine Brüder wieder hier arbeiten. Ich erwarte, dass Sie alles tun, damit er zu Mantabo Industries zurückkehrt. Auch wenn das bedeutet, bei der Polizei Anzeige zu erstatten."

Das konnte ich nicht. „Niko, das ist alles gelogen. Jeder Polizist würde mich sofort durchschauen. Außerdem haben wir keine echten Dokumente aus dem Krankenhaus. Die Beamten werden das auf jeden Fall überprüfen und herausfinden, dass ich lüge. Ich habe keine Ahnung, was mit mir passiert, wenn ich die Polizei anlüge. Ich kann nicht ins Gefängnis, Niko. Ich kann das einfach nicht. Es tut mir leid. Ich habe alles getan, was ich konnte. Wenn Sie mich nicht dafür bezahlen wollen, ist das in Ordnung. Ich freue mich, dass die Sache mit der Unterschlagung vom Tisch ist."

„Sie verstehen mich nicht, Zurie", knurrte er. „Ich bin noch nicht mit Ihnen fertig. Sie haben gerade genug getan, um sich eine kleine Pause zu verdienen. Ich werde das Geld von Ihrem Konto zurückbuchen und den Vorgang in der Buchhaltungssoftware löschen. Aber wenn Sie Cayce nicht bald dazu bringen, hierher zurückzukommen, werde ich mir etwas viel Schlimmeres einfallen lassen. Zwingen Sie mich nicht, mir etwas auszudenken, das Sie besser motiviert."

„Also ist es für mich immer noch nicht vorbei?" Der Mann war unglaublich. „Niko, ich habe alles getan, was Sie von mir verlangt haben. Es ist nicht meine Schuld, dass es nicht funktioniert."

„Ihre Aufgabe ist noch nicht erledigt. An Ihrer Stelle würde ich nicht versuchen, mit einem Mann wie mir zu streiten. Für Leute, die meinen, mit mir streiten zu können, geht es nie gut aus. Ich besorge die gefälschten Dokumente. Sie können sie morgen in meinem Büro abholen. Tun Sie, was auch immer nötig ist, damit es funktioniert, Zurie." Er beendete den Anruf und ich brach wieder in unkontrolliertes Schluchzen aus.

Ich hätte keine Tränen mehr haben sollen, aber ich weinte trotzdem. Schließlich zog ich mich aus und stieg in eine Wanne mit heißem Wasser, während ich mich immer niedergeschlagener fühlte.

Ich hatte von Leuten gehört, die einen Nervenzusammenbruch hatten, aber ich hatte keine Ahnung gehabt, wie sich so etwas anfühlte. Inzwischen war ich mir allerdings sicher, dass mir das Gleiche passierte. Ich konnte nicht mehr mit meinem Leben umgehen. Ich konnte die schwere Last auf meinen Schultern nicht mehr tragen.

Meine Mutter und meine Schwester brauchten mich seit

einer gefühlten Ewigkeit. Ich war für sie da gewesen und hatte gedacht, ich könnte es immer sein. Sie waren schließlich die einzige Familie, die ich hatte. Wenn ich sie nicht versorgte, würden sie verhungern.

Ich hatte diese Last mit Stolz getragen. Ich war die Gesunde von uns gewesen. Ich war für meine Familie da gewesen.

Ich hatte mich nie für eine Heldin gehalten. Aber ich hatte gewusst, dass das, was ich tat, gut und bewundernswert war. Ich hatte sogar gedacht, dass Gott für meine guten Taten auf mich herablächelte.

*Wie falsch ich damit lag.*

Niemand lächelte jetzt auf mich herab. Gott musste mir den Rücken gekehrt haben, als ich Nikos Angebot angenommen hatte. Das musste es sein. Gott betrachtete mich nicht mehr wohlwollend. Ich war nicht mehr die gute Frau, für die ich mich gehalten hatte. Und jetzt war ich ganz allein auf dieser Welt. Allein mit der Last, dass zwei andere Seelen mich brauchten.

Ich rutschte immer tiefer in die Wanne, hielt den Atem an und sank unter Wasser. Ich hatte noch nie daran gedacht, mich zu ertränken, aber als ich in das warme Wasser glitt, das meinen Körper sanft umhüllte, erschien mir der Tod gar nicht so schlimm.

Mit weit geöffneten Augen blickte ich durch das Wasser nach oben. Das Licht über der Wanne schien auf mich herab und ein Gedanke kam mir in den Sinn.

*Wann habe ich angefangen, meine Mutter und meine Schwester als Last zu betrachten?*

Als ich meinen Körper wieder nach oben drückte, tauchte mein Kopf aus dem Wasser auf. Hatte mich das Böse bereits vollständig erfasst und so sehr verändert?

*Wird die Güte, die mich einst erfüllt hat, jemals wieder an die Oberfläche kommen oder werde ich jetzt für immer böse bleiben?*

# KAPITEL FÜNFZEHN

## CAYCE

Ich ging im Wohnzimmer auf und ab und versuchte, mich an jedes Wort zu erinnern, das Zurie und ich in der Nacht, in der ich den schlimmsten Fehler meines Lebens gemacht hatte, gesagt hatten. In der Nacht, in der ich Sex mit der niederträchtigsten Frau der Welt gehabt hatte.

„Also, willst du dir mein Haus ansehen?", hatte ich ohne die geringste Andeutung von Verführung in meiner Stimme gesagt. Daran erinnerte ich mich sehr genau.

Sie hatte mir ihre Hand gereicht – nicht umgekehrt. Ich hatte sie überhaupt nicht angerührt. „Ja. Das wäre nett", hatte sie mit einem sexy Unterton gesagt.

Ich erinnerte mich, dass ich mich gefragt hatte, warum sie sich plötzlich so wohl bei mir fühlte, wenn sie in der Bar nicht so gewirkt hatte. Ich hatte ihre Hand genommen, sie an meine Seite gezogen und gesagt: „Ich habe einen großartigen Kamin im Wohnzimmer."

„Zeige ihn mir." Dann hatte sie meine Hand losgelassen, ihren Arm um meine Taille gelegt und sich an mich gelehnt.

Ich hatte zu diesem Zeitpunkt auch meinen Arm um sie gelegt. „Okay, los geht's."

Sobald das Licht im Wohnzimmer angegangen war, hatte sie gesagt: „Wow. Das ist großartig."

„Ich wusste, dass es dir gefallen würde." An diesem Punkt hatte ich vielleicht ein wenig meine Verführungskünste angewandt, aber wirklich nicht viel.

Wieder hatte sie den nächsten Schritt gemacht. Sie hatte sich vor mich gestellt und ihre Arme um meine Taille gelegt. Als sie die Frauen erwähnt hatte, mit denen ich schon geschlafen haben musste, war mir langsam aufgefallen, dass sie sich nicht mehr so verhielt, wie sie es zuvor getan hatte.

Ich hatte sie sogar danach gefragt – um sicherzustellen, dass es ihr gut ging. Ich hatte mich fantastisch gefühlt, als sie mir erzählt hatte, dass sie sich inzwischen sicher bei mir fühlte. Wie falsch ich damit gelegen hatte, ihr zu glauben – aber ich hatte es getan.

Als sie unverhohlen zugegeben hatte, dass sie mich attraktiv fand, hatte ich mich gefragt, ob sie etwas genommen hatte, als sie im Badezimmer gewesen war. Sie hatte plötzlich für mich gebrannt – genauso wie ich für sie. Ich hatte das Leuchten in ihren dunklen Augen gesehen und den Puls ihres Körpers gespürt, als sie mir nähergekommen war. Ich hatte sie mehrmals gefragt, ob sie wirklich weitermachen wollte. Ich war kein Mann, der Frauen ausnutzte.

Mehr als bei jeder anderen Frau, mit der ich jemals zusammen gewesen war, wollte ich, dass sie sich sicher war. Ich wollte, dass diese Nacht unsere erste von vielen wurde.

*Verdammt. Was für ein Idiot ich bin.*

Als wir es zu meinem Bett geschafft hatten, war ich verrückt nach ihr gewesen. Ich hatte sie weniger als einen Tag gekannt und schon das Gefühl gehabt, mich Hals über Kopf in sie verliebt zu haben.

Zum ersten Mal in meinem Leben fühlte ich mich wie ein Idiot. Für einen Mann wie mich war das nicht leicht zu verkraften – ich war stolz auf meine Intelligenz. Sie hatte mich weit gebracht.

Ich legte mich ins Bett, während ich in Gedanken immer noch die Ereignisse jener Nacht durchging. Aber ich konnte nicht schlafen, weil ich die ganze Zeit überlegte, was ich tun musste, damit diese Scheiße aufhörte. Als der Morgen kam, rief ich Niko Armstrong an, der mit seinen Drohungen hinter all dem steckte.

„Cayce, ich freue mich, dass Sie sich melden", begrüßte mich seine Stimme.

„Nun, das wird nicht lange so bleiben", ließ ich ihn wissen. „Ich bin niemand, den man erpressen kann, Niko. Meine Brüder und ich haben jetzt unser eigenes Projekt und wir haben mächtige Leute hinter uns. Wir werden nicht in Ihr Unternehmen zurückkehren. Nach dem, was Sie mir angetan haben, werden wir nie wieder für Sie arbeiten. Niemals."

„Dann lassen Sie mir keine Wahl. Zurie wird Sie wegen sexueller Nötigung anzeigen", sagte er rundheraus.

„Diese Vorwürfe sind Unsinn. Und das wissen Sie auch. Ich kann jederzeit zu den Behörden gehen und melden, was Sie beide hier versuchen. Was würde das wohl mit Ihrem Ruf machen, Niko?" Der Mann schätzte seine Privatsphäre. Er mochte die Presse nicht und hatte sich von allem Illegalen ferngehalten. Bis jetzt.

Zumindest hatte ich das gedacht. Mir wurde langsam klar, dass hinter Niko Armstrongs Fassade mehr lauerte, als ich jemals geahnt hatte.

„Sie wären ein Narr, wenn Sie das machen würden, Cayce. Zurie hat Testergebnisse, die ihre Behauptungen beweisen. Was haben Sie?", fragte er. Ich konnte das Grinsen auf seinen Lippen in seiner Stimme hören.

„Sie wissen, dass ich ihr das Ecstasy nicht verabreicht habe. Ich bin sicher, dass Sie es ihr gegeben haben. Sie zu benutzen war feige von Ihnen, Niko. Sie hätten mutig genug sein sollen, selbst mit mir zu reden. Stattdessen haben Sie eine Frau geschickt, um Ihre Drecksarbeit zu erledigen. Erbärmlich. Das sind Sie – eine erbärmliche, traurige Karikatur eines Mannes."

„Beleidigungen sind kindisch, Cayce. Ehrlich gesagt hatte ich erwartet, dass mehr aus dem Mund eines Mannes mit Ihrer Bildung und Intelligenz kommen würde. Sie fangen an, mich zu enttäuschen. Ich mag es nicht, enttäuscht zu werden. Den Menschen, die meine Erwartungen nicht erfüllen, passieren schlimme Dinge."

„Ich werde mir Anwälte suchen, Niko. Ich habe nichts falsch gemacht und Sie können mir nichts anhängen. Ich habe keine kriminelle Vergangenheit. Sie haben sich den falschen Mann für Ihr krankes Spiel ausgesucht." Wut erfüllte mich. „Im Moment bin ich mir nicht sicher, was ich tun werde. Wenn Sie mit diesem Mist aufhören, gehe ich vielleicht nicht zu den Behörden. Aber ich kann Ihnen nichts versprechen. Ich kann nicht zulassen, dass Sie glauben, mir für immer damit drohen zu können. Ich werde alles tun, was nötig ist, um dem ein Ende zu setzen."

„Sie und Ihre Brüder waren ein unschätzbarer Teil unseres Teams, Cayce. Sie sind weggegangen, ohne mir auch nur eine Chance zu geben, Ihnen mehr Geld – oder was auch immer Sie wollten – anzubieten. Ich hätte Ihnen alles gegeben, um Sie zu halten. Alles. Häuser, Autos, Yachten, Geld … Ich hätte es Ihnen gerne gegeben, nur damit Sie weiterhin Produkte für Mantabo entwickeln. Aber Sie sind weggegangen. Sie haben nicht einmal die zweiwöchige Kündigungsfrist eingehalten oder mir die Gelegenheit gegeben, mit einem von Ihnen zu sprechen."

„Weil wir schon lange versucht haben, mit Ihnen über unsere Ideen zu sprechen, und Sie uns jedes Mal abgewiesen haben. Wir haben versucht, mit Ihnen an dem zu arbeiten, was wir tun wollen, aber Sie wollten uns nicht einmal anhören. Alles, was Sie wollen, sind Waffen, die noch mächtiger und zerstörerischer sind." Ich hatte angefangen zu denken, dass das alles war, woran der Mann denken konnte. „Ihnen geht es nur um Zerstörung. Sie denken, Sie können mich zerstören, um zu bekommen, was Sie wollen. Anscheinend haben Sie noch nie das Sprichwort gehört, dass man mit Honig mehr Fliegen fängt als mit Essig."

„Was soll ich mit einem Haufen Fliegen?" Er lachte. „Diese Sache wird nicht einfach verschwinden, Cayce. Sie können mir drohen, so viel Sie wollen. Wir wissen beide, dass die von Ihnen begangenen Verbrechen als abscheulich angesehen werden, und selbst wenn die Anzeige nicht weiterverfolgt wird, wird Ihr Ruf darunter leiden. Selbst wenn ein Richter urteilt, dass Sie nicht schuldig sind, wird die Öffentlichkeit Sie für immer als Sexualstraftäter betrachten. Tun Sie das Richtige, Cayce. Überreden Sie Ihre Brüder, hierher zurückzukehren. Sie alle kennen kostbare Geheimnisse von mir. Ich mag es nicht, wenn meine Geheimnisse nach außen dringen."

„Wir haben Vereinbarungen unterzeichnet, die besagen, dass wir niemals einer Menschenseele von Ihren Geheimnissen erzählen werden, Niko. Sie sind uns völlig gleichgültig – wir wollen nur mit unserem Leben und unserem Projekt weitermachen. Das sollte Ihnen reichen." Der Mann machte mich wahnsinnig.

„Das sollte es, aber das tut es nicht. Außerdem habe ich niemanden, der so gut darin ist, Waffen zu entwickeln, wie Sie. Sie und Ihre drei Brüder sind Genies in diesem Bereich. Wenn der Weltraum weiter erforscht wird, brauchen wir vielleicht die stärksten Waffen, die wir bekommen können. Vergessen Sie nicht, dass das US-Militär endlich die Wahrheit über die Anwesenheit von Außerirdischen und Raumschiffen hier auf der Erde gesagt hat. Länder auf der ganzen Welt werden auf einen Angriff vorbereitet sein wollen, anstatt so wehrlos wie Lämmer auf das Ende zu warten. Mantabo wird in den kommenden Jahren viel davon profitieren. Die Kündigung von Ihnen und Ihren Brüdern ist ein schwerer Schlag für mein Unternehmen."

Ich kniff mir in den Nasenrücken. „Ich kann mir Ihren

Wahnsinn nicht länger anhören." Ich musste aufhören zu versuchen, diesen Verrückten zur Vernunft zu bringen. „Lassen Sie mich einfach in Ruhe und sagen Sie Ihrer verrückten, erpresserischen Schlampe, dass sie das Gleiche tun soll."

Meine Hand zitterte, als ich den Bildschirm berührte, um aufzulegen. Wieder einmal musste ich dem Drang widerstehen, das Handy an die Wand zu werfen. Aber ich schaffte es, mein Temperament zu kontrollieren, und steckte es stattdessen in meine Tasche.

Dieser Tag würde schlimm werden. Soviel war klar. Kein Schlaf, jede Menge Angst und keine Ahnung, was ich tun sollte, forderten ihren Tribut.

Auf der Suche nach etwas, das meine pochenden Kopfschmerzen lindern würde, ging ich zum Medizinschrank im Badezimmer. Als ich einen Blick auf mein Spiegelbild erhaschte, war ich schockiert. Meine Haare waren zerzaust und standen von meinem Kopf ab, weil ich so oft aggressiv mit den Händen hindurchgestrichen hatte. Mit den schwarzen Bartstoppeln im Gesicht und den dunklen Ringen unter meinen Augen sah ich wie ein drogensüchtiger Obdachloser aus.

Eines war sicher. So konnte ich nicht das Haus verlassen. Wenn sich herumsprach, dass mir etwas vorgeworfen wurde, würde ich definitiv schuldig aussehen. Die Leute würden sich an den Tag erinnern, als sie gesehen hatten, wie der Tod mich holen kam und ich mich kaum wehrte.

Ich zog mich aus und duschte heiß. Ich konnte nicht zulassen, dass mich das, was Zurie und Niko getan hatten, ruinierte. Ich konnte nicht zulassen, dass Lügen den Mann, der ich war, oder den Traum, den ich mit meinen Brüdern teilte, ruinierten.

Nach der Dusche und einer Rasur sah ich besser aus, aber nicht großartig. Ich musste schlafen. Also ging ich ins Bett und schloss mit mir selbst einen Pakt – wenn mir mein gequälter Verstand ein paar Stunden Schlaf gönnte, würde ich ihn damit belohnen, dass ich überlegte, wie ich diesen Wahnsinn stoppen könnte.

Während ich in dem Bett lag, in dem sie und ich gewesen waren, hatte ich das Gefühl, als würden Schlangen über meinen ganzen Körper kriechen. Ich war mir sicher, dass es nur eine Folge des Schlafmangels war, aber es fühlte sich viel zu echt an.

Ich hatte eine Schlange in meinem Bett gehabt und war mir dessen überhaupt nicht bewusst gewesen. Ich hatte wirklich gedacht, wir hätten eine Verbindung, aber ich war gründlich getäuscht worden.

Wie Zurie die Anziehung zwischen uns erzeugt hatte, war mir ein Rätsel. Wie sie mir das Gefühl gegeben hatte, dem Himmel so nah wie nie zuvor zu sein, würde ich nie verstehen. Sie war eine Verführerin, die direkt aus der Hölle geschickt worden war. Eine böse Verführerin, die dem ebenso bösen Niko Armstrong gehorchte.

Bei der Vorstellung, dass sie seine Befehle auf eine andere Art befolgte – eine persönliche, intime Art –, verkrampfte sich mein Magen vor Ekel. Ich fühlte mich noch mehr wie ein Idiot, weil sie immer noch eine so starke Wirkung auf mich hatte.

*Scheiße!*

Wo Niko sie gefunden hatte, wusste ich nicht und es interessierte mich nicht einmal. Ich wollte nur, dass die beiden aus meinem Leben verschwanden. Ich wollte, dass sie mich und meine Brüder vergaßen.

*Aber wie kann ich das erreichen?*

# KAPITEL SECHZEHN

## ZURIE

Als ich bei der Arbeit an meinem Schreibtisch saß, ging mir nur ein Gedanke durch den Kopf.

*Eine Woche ist vergangen. Bald kommt die nächste Hiobsbotschaft.*

Niko Armstrong war alles andere als geduldig. Cayce und seine Brüder waren immer noch nicht wieder bei Mantabo Industries beschäftigt. Und Niko hatte sieben Tage lang nichts zu mir gesagt.

Ein Teil von mir hoffte, dass Niko mit Cayce gesprochen und selbst herausgefunden hatte, dass Cayce sich von niemandem zu irgendetwas manipulieren lassen würde. Der andere Teil von mir fürchtete den Tag, an dem Niko mich wieder in seine Intrigen hineinziehen würde. Ich war mir sicher, dass er nicht einfach aufgab.

Ich hatte gerade die Arbeit für diesen Tag beendet und war dabei, meinen Computer auszuschalten. Das Wochenende würde mir zwei Tage Zeit geben, um mich auszuruhen, bevor ich wieder zur Arbeit musste. Obwohl ich eine Woche lang frei von Nikos Drohungen gewesen war, lasteten sie immer noch schwer auf mir. Ich war nicht in der Lage, sie abzuschütteln.

„Hey, Zurie", sagte Tommy und steckte seinen Kopf in meinen kleinen Arbeitsbereich. „Der Boss hat mir gerade eine SMS geschrieben. Er will dich sehen, bevor du dich ins Wochenende verabschiedest."

Obwohl ich erwartet hatte, dass Niko nicht aufgeben würde, war mir zum Weinen zumute. „Oh, ich verstehe." Mein Kopf senkte sich, als ich zusah, wie mein Computer langsam ausging.

Tommy rollte auf seinem Bürostuhl in meinen Bereich. „Hey, ich weiß, dass es mich nichts angeht, aber was ist bei Ihnen beiden los?"

Bei der Frage lief mir ein Schauer über den Rücken. *Was zum Teufel soll ich sagen?*

Der gebrochene Teil von mir ließ sich jedoch schnell etwas einfallen. „Ich betreibe ein wenig Ahnenforschung für ihn", log ich.

Seine Augenbrauen hoben sich. „Oh. Nun, ich hoffe, er bezahlt Sie dafür extra."

Er hatte mir keinen Cent für die Dinge gegeben, die ich für ihn getan hatte. Nicht, dass ich Geld von ihm annehmen wollte. Schmutziges Geld, das ich mit schrecklichen Dingen verdient hatte – aber er hätte es zumindest anbieten sollen. „Ja, er bezahlt mich. ich bin mir allerdings nicht sicher, wie viel. Ich soll erst bezahlt werden, wenn die Arbeit erledigt ist." Die Arbeit war offensichtlich noch nicht erledigt. Aber Cayce würde mir nie wieder vertrauen, also hatte ich keine Ahnung, was ich noch tun konnte, um ihn dazu zu bringen, Niko zu gehorchen.

Tommy musterte mich von oben bis unten. „Sie würden mir sagen, wenn Mr. Armstrong etwas tut, das er nicht tun sollte, oder? Ich möchte, dass Sie wissen, dass Sie hier an Ihrem Arbeitsplatz in Sicherheit sind."

*Das ist ein Irrtum, Tommy.*

„Ich würde es Ihnen sagen, wenn etwas mit dem Mann nicht stimmt, Tommy. Danke für Ihre Fürsorge."

„Wie eng haben Sie mit ihm zusammengearbeitet, Zurie?"
Sein Verhalten gab mir das Gefühl, dass er sich nicht sicher
war, ob die Sache zwischen Niko und mir einvernehmlich war.
„Waren Sie längere Zeit mit ihm allein?"

„Nein, das war ich nicht." Dachte Tommy ernsthaft, er
könnte unseren Boss, dem das Unternehmen gehörte,
aufhalten? „Tommy, wenn es ein Problem gäbe … was könnten
Sie gegen einen so mächtigen Mann unternehmen?"

„Es gibt Gesetze, Zurie. Und sie gelten für alle",
informierte er mich. „Ihre Frage erweckt bei mir den Eindruck,
dass Sie mir noch mehr zu sagen haben."

Ich schüttelte den Kopf. Ich hatte nicht so viel Vertrauen in
den Rechtsstaat wie er. „Nein. Ich habe nur gefragt. Wo ich
herkomme, können die Reichen tun und lassen, was sie wollen,
und niemand hält sie davon ab."

„In Amerika ist das nicht so, Zurie. Zumindest nicht
immer. Kommen Sie also bitte zu mir, wenn Sie Probleme mit
jemandem hier bei der Arbeit haben. Ich kann Ihnen helfen."
Er schob seinen Stuhl zurück und die Rollen quietschten leise.
„Ich besorge mir besser etwas, um die Rollen dieses Dings zu
ölen. Schönes Wochenende, Zurie. Arbeiten Sie nicht die
ganze Zeit an den Sachen des Chefs. Haben Sie Spaß. Sie
wirken in letzter Zeit gestresst. Gehen Sie mit Ihren Freunden
etwas trinken oder so."

„Ja, das mache ich." Das wollte ich überhaupt nicht tun,
aber er versuchte, mir zu helfen, also spielte ich mit. „Ich
wünsche Ihnen auch ein schönes Wochenende, Tommy. Bis
Montag." Ich schnappte mir meine Handtasche, warf sie über
meine Schulter und ging dann zu Nikos Büro.

Angst erfüllte mich, als ich zögernd den langen Flur
durchquerte, der dorthin führte. Das konnte auf keinen Fall
etwas Gutes bedeuten. Bei jedem Schritt wurden meine Füße
langsamer und schwerer. Es fühlte sich an, als würde ich durch
fast ausgehärteten Zement stapfen.

Ich hatte mein Bankkonto überprüft, um sicherzustellen,

dass Niko die Einzahlungen, die er darauf überwiesen hatte, storniert hatte. Das Geld war wieder weg und soweit ich das beurteilen konnte, gab es absolut keine Spuren, dass es jemals da gewesen war.

Der Mann war ein Genie am Computer. Ein böses Genie, aber trotzdem ein Genie. Das sagte mir, wozu er fähig war. Er war ein gefährlicher Mann und ich wusste, dass ich niemanden mit so viel Macht verärgern durfte. Einen Mann wie ihn zu unterschätzen könnte sich als katastrophal erweisen.

Als ich vor seinem Büro ankam, war die Außentür geschlossen. Ich öffnete sie und fand ein leeres Zimmer vor. Offensichtlich war seine Assistentin bereits gegangen.

*Verdammt, wieder allein.*

Ich brauchte all meine Kraft, um zu der Tür am anderen Ende des Zimmers zu gehen, hinter der neue Schrecken lauerten. Ich blieb davor stehen, während mein Herz in meiner Brust hämmerte und mich anflehte, mich umzudrehen und wegzulaufen. Meine Hand ballte sich zur Faust, klopfte an die Tür und ignorierte den Rest meines Körpers, der fliehen wollte.

„Kommen Sie rein, Zurie", ertönte seine tiefe Stimme.

Ich konnte nicht atmen, als ich den Türknauf umklammerte, ihn langsam drehte und dann die schwere Tür aufdrückte. Im Raum war es dunkel, bis auf ein orangefarbenes Licht an der Rückseite des Büros, wo der riesige Schreibtisch stand.

Ich hatte keine Ahnung, warum es hier so dunkel war. Als ich mich daran erinnerte, dass Niko Schwäche hasste, wurde mir klar, dass er vermutlich auch ängstliche Menschen verabscheute. Ich versuchte, selbstbewusst zu wirken, und sagte laut: „Hallo, Niko."

„Hallo, Zurie." Seine Stimme ertönte rechts neben mir, anstatt aus dem Bereich, wo sein Schreibtisch war. Er trat nahe genug heran, dass ich ihn sehen konnte.

Ich holte keuchend Luft und mein Herz schlug so heftig, dass ich Angst hatte, er würde es hören. „Ich habe gehört, dass Sie mich sehen wollten."

Seine Hand packte meinen Ellbogen und führte mich dorthin, wo er mich haben wollte. Ich mochte nicht, dass er mich berührte. Mir wurde dabei schlecht. „Kommen Sie. Setzen Sie sich. Wir haben viel zu besprechen."

Ich dachte, ich sollte ihm besser von der Lüge berichten, die ich Tommy erzählt hatte, falls er danach gefragt wurde. „Tommy, mein Vorgesetzter, wollte wissen, warum Sie immer wieder nach mir fragen. Ich habe ihm gesagt, dass ich über Ihre Vorfahren recherchiere. Ich dachte, Sie sollten das wissen, falls er Sie danach fragt."

„Also wird er neugierig, hm?" Er rückte den Stuhl vor seinem Schreibtisch zurecht und drängte mich, darauf Platz zu nehmen. Ich konnte sein Gesicht in dem orangefarbenen Licht deutlicher sehen. Er sah noch furchterregender als sonst aus, so als wäre er direkt aus der Hölle gekommen. „Dann kümmere ich mich um ihn. Ich mag keine neugierigen Leute. Das habe ich nie getan und das werde ich nie tun."

Ich fühlte mich schrecklich, weil ich überhaupt mit ihm darüber gesprochen hatte. „Feuern Sie ihn nicht."

Seine durchdringenden blauen Augen bohrten sich zornig in meine. „Wollen Sie *mir* vorschreiben, was ich tun soll?"

Ich senkte meinen Blick und wusste, dass ich nichts hätte sagen sollen. „Nein, Sir."

Schuldgefühle quälten mich, da ich die starke Vermutung hatte, dass Tommy am Montag nicht mehr da sein würde. *Hätte ich nur meinen verdammten Mund gehalten!*

Er nahm hinter seinem Schreibtisch Platz und legte die Finger aneinander, während er seine Ellbogen auf die leere Tischplatte stützte. „Ich habe mit Cayce Duran gesprochen, aber es lief nicht so, wie ich wollte. Sie müssen sich also mehr anstrengen als bisher."

„Bei allem Respekt, Niko, ich weiß nicht, was ich noch tun kann. Es ist nicht so, als würde er mich jetzt noch in seine Nähe lassen. Und ich bezweifle stark, dass er auch nur einen Anruf von mir annehmen würde."

„Ich habe mir selbst etwas einfallen lassen, da Sie ziemlich dämlich zu sein scheinen." Plötzlich ging die Deckenbeleuchtung an.

Ich blinzelte bei dem drastischen Lichtunterschied und spürte, wie jemand hinter mir auftauchte. Eine Hand legte sich auf meine Schulter, sodass ich mich umdrehte und einen großen Mann in Polizeiuniform entdeckte.

Der Mann nickte mir zu. Dann zog Niko meine Aufmerksamkeit wieder auf sich, indem er sagte: „Das ist Javier. Er ist kein echter Polizist, aber er wird sich als einer ausgeben. Und Sie werden so tun, als hätten Sie mit ihm über Ihre Anschuldigungen gegen Cayce gesprochen."

„Niko, wenn er beschließt, sich einen Anwalt zu suchen, oder die Polizeidienststelle anruft und fragt, ob es überhaupt einen Beamten mit diesem Namen gibt, wird er wissen, dass ich gelogen habe." Immer mehr Lügen wurden mir aufgezwungen und ich hasste, wie es sich anfühlte.

Cayce und ich hatten etwas gehabt, das ich noch nie mit jemand anderem geteilt hatte. Ich hatte noch nie eine wirkliche Verbindung zu jemandem gespürt, aber bei ihm war es so gewesen.

Gezwungen zu werden, ihn noch mehr anzulügen. als ich es schon getan hatte, fühlte sich an, als würde ich mich selbst verletzen, weil ich beim bloßen Gedanken daran Schmerzen hatte.

Ich hatte schon oft darüber nachgedacht, Cayce einfach die Wahrheit zu sagen. Am Ende war ich aber zu dem Schluss gekommen, dass er mir niemals glauben würde, weil er wusste, dass ich eine Lügnerin war.

„Glauben Sie, das wird Cayce dazu bringen, doch wieder

hier zu arbeiten?", fragte ich ungläubig. Ich war der festen Überzeugung, dass Cayce niemals zurückkommen würde. Und wenn er tatsächlich mit Niko gesprochen hatte und jetzt mit Sicherheit wusste, dass er dahintersteckte, würde er nie wieder irgendetwas für den Kerl tun.

Cayce war nicht wie ich. Er hatte keine Angst vor Drohungen. Er wusste, dass er das Geld und die Kraft hatte, alles abzuwehren, was ihm jemand anzuhängen versuchte. Und er hatte recht damit. Aber ich hatte nicht so viel Kraft und Geld wie er, also würde ich tun, was Niko von mir verlangte. Und ich war mir sicher, dass er wieder Drohungen aussprechen würde.

Ich versuchte, mutig und stark zu sein, als ich fragte: „Und wenn ich Cayce die ganze Wahrheit darüber sage, wie Sie mich gezwungen haben, ihm das anzutun? Was dann?"

„Wäre das nicht lustig?", fragte Niko. Er stand mit wutverzerrtem Gesicht in all seiner imposanten Größe vor mir. „Es wäre urkomisch, wenn Sie so etwas tun würden. Wenn Sie zu Cayce Duran gehen und ihm sagen würden, dass ich Sie dazu erpresse, etwas zu finden, mit dem ich ihn erpressen kann, dann würden Sie beide auf meine Kosten lachen. Ist das nicht richtig?"

Obwohl seine Worte fast harmlos klangen, verhießen sein Gesichtsausdruck und seine Haltung nichts Gutes. „Nein. Das wäre überhaupt nicht lustig, Niko."

Er marschierte langsam, aber entschlossen um den Schreibtisch herum, bis er direkt vor mir stand und nur noch etwa ein Meter Abstand zwischen uns war. „Wenn Sie es wagen, etwas anderes zu tun, als mir zu geben, was ich will, dann werde ich Ihnen auf eine Weise schaden, die Sie sich nicht einmal vorstellen können."

„Ich bin sicher, dass Sie dazu imstande wären." Daran hatte ich überhaupt keinen Zweifel.

„Ich habe mir erlaubt, in Ihre Personalakte zu schauen,

und raten Sie mal, was ich über Sie herausgefunden habe, Zurie Nala."

Das Blut in meinen Adern gefror zu Eis und es war, als würde die Zeit stillstehen. „Niko, bitte nicht." Ich wusste, dass er Informationen über meine Familie herausgefunden hatte.

„Ihre Notfallkontakte waren sehr hilfreich. Ihre arme Mutter hat es wirklich nicht leicht, hm?"

Ich zuckte zusammen und mein Magen verkrampfte sich. „Nein, das hat sie nicht."

„Sie muss sich ganz allein um Ihre Schwester kümmern. Selbst mit dem Geld, das Sie den beiden geschickt haben, seit Sie hier arbeiten, konnte sie immer noch nicht aus der Hütte ausziehen, die sie ihr Zuhause nennt. Das ist wirklich schade. Man könnte sogar sagen, dass die beiden tot besser dran wären als in dem Elend, das sie schon ihr ganzes Leben lang erdulden."

Mein Herz setzte einen Schlag aus. Er wusste viel zu viel über meine Familie. Er hatte offensichtlich alles versucht, um mehr zu finden, womit er mir drohen konnte. Jetzt hatte er meine Achillesferse gefunden – meine Mutter und meine Schwester. „Niko, ich werde tun, was Sie wollen."

„Schön, dass Sie an Bord sind, Zurie." Er nickte dem Mann zu, der immer noch hinter mir stand. „Also los, Javier. Sie wird Ihre Geschichte bestätigen."

In der nächsten halben Stunde hörte ich benommen zu, während Javier mir sagte, was er Cayce erzählen würde. Wenn Cayce mich kontaktierte, sollte ich seine Geschichte bestätigen. Nur dann wäre meine Familie sicher.

Als ich das Büro verlassen wollte, packte Niko meinen Oberarm und brachte mich mit einem Ruck zum Stehen. „Das muss bald ein Ende haben, Zurie. Ich hoffe sehr, dass es damit endet, dass ich bekomme, was ich will. Sie haben eine Woche Zeit. Machen Sie das Beste daraus. Die Konsequenzen könnten schrecklich sein, wenn Sie scheitern."

Hätte ich in diesem Moment ein Messer gehabt, hätte ich

es in seine Eingeweide gerammt und so lange gedreht, bis er seinen letzten Atemzug gemacht hätte. Aber ich war schwach. Ich hatte Angst. Das Böse stahl immer mehr Licht aus meiner Seele und ließ mich mit einem Gefühl der Leere zurück, das nicht verschwinden wollte.

# KAPITEL SIEBZEHN

## CAYCE

Wir hatten in dieser Woche viele Fortschritte an unserem neuen Gebäude gemacht. Das hätte mir ein großartiges Gefühl verschaffen sollen.

Aber ich fühlte mich überhaupt nicht großartig. Obwohl nichts von Niko oder Zurie gekommen war, nagte etwas an mir. Es war, als wäre das Schweigen genauso schlimm wie die Vorwürfe, die mir ins Gesicht geschleudert worden waren.

Ich wusste, dass Niko Armstrong nicht einfach nachgeben und mich und meine Brüder gehen lassen würde. Er glaubte, Munition gegen mich zu haben, und ich wusste mit Sicherheit, dass er sie irgendwann einsetzen würde. Aber er würde Zurie brauchen, wenn er diesen Weg einschlagen wollte.

Ich hatte immer noch Hoffnung, dass Zurie dieser Sache ein Ende setzen würde. Sie hielt alle Karten in ihren Händen. Sie allein hatte die Macht dazu. Ich war mir sicher, dass er sie gut dafür bezahlt hatte, mir all das anzutun. Sie könnte einfach das ganze Geld zurückgeben und ihm sagen, dass sie es nicht durchziehen würde. Wenn sie überhaupt etwas für mich empfand, würde sie genau das tun.

Und wenn sie es nicht tat, wusste ich, dass ich mein Wissen gegen sie verwenden musste. Wenn ich einen Anwalt beauftragte und ihm alles erzählte, würde er bestimmt ihre Kontoauszüge als Beweismittel vorlegen. Jede hohe Überweisung wäre verdächtig und ein Hinweis darauf, dass sie für das, was sie getan hatte, bezahlt worden war. Sie würde für ihre Verbrechen büßen – ich würde dafür sorgen. Selbst wenn sie sich weigerte, gegen Niko Armstrong auszusagen, würde sie Zeit im Gefängnis verbringen.

Am Ende würden sich meine Anwälte Niko vornehmen. Er hatte einen Fehler gemacht, als er verkündet hatte, dass er hinter diesem Plan steckte. Ich hatte geglaubt, der Mann sei überdurchschnittlich intelligent, aber was er getan hatte, war einfach nur dumm gewesen.

Ich wusste, was das über ihn aussagte. Er hielt sich für zu mächtig und zu reich, um denselben Regeln und Gesetzen gehorchen zu müssen wie der Rest von uns. Er glaubte vielleicht, besser als alle anderen Menschen zu sein, aber er war niemandem überlegen. Und ihm stand ein harter Absturz auf den Boden der Tatsachen bevor, wenn er so weitermachte.

Es gab auch noch die schwache Hoffnung, dass Niko zu der Erkenntnis gelangt war, dass er nicht damit durchkommen würde, und sich entschieden hatte, seine Intrige abzubrechen. Aber ich hatte meine Zweifel daran.

Als ich an dem Tor vor meinem Haus anhielt, sah ich, dass direkt daneben ein schwarzes Auto stand. Ein Mann stieg aus, als ich meinen Truck dahinter parkte. Er trug eine khakifarbene Hose und ein weißes Hemd. Ein glänzendes silbernes Abzeichen funkelte im Sonnenlicht und erregte meine Aufmerksamkeit.

*Das kann nicht wahr sein!*

Als ich aus meinem Truck stieg, versuchte ich, nicht so wütend zu klingen, wie ich wirklich war, und fragte: „Kann ich Ihnen helfen, Officer?"

Er nickte und trat dicht an mich heran. „Hallo. Ich bin

Detective Garza vom Brownsville Police Department. Ich würde gerne unter vier Augen mit Ihnen sprechen, wenn ich darf. Können wir dafür in Ihr Haus gehen, Mr. Duran?"

Ich wollte ohnehin nicht, dass einer meiner Nachbarn hörte, was der Mann zu sagen hatte. „Ja. Ich werde das Tor öffnen. Parken Sie einfach vor dem Haus. Ich parke in der Garage und mache von innen die Haustür für Sie auf."

Das stank nach Zurie und Niko, und mein Hass auf sie wuchs. Ich hatte noch nie jemanden so gerngehabt und nur ein paar Tage später so gehasst. Es war wie ein Schleudertrauma, nicht nur für mein Gehirn, sondern auch für meine Emotionen. Ich wusste nicht einmal, wie ich mich fühlen sollte. Aber ich wusste genau, was ich in diesem Moment fühlte, und es war rasende Wut.

Nachdem ich in der Garage geparkt hatte, ging ich durch das Haus, um zur Haustür zu gelangen. Als ich sie öffnete, stand der Polizist bereits auf der Veranda. „Kommen Sie rein. Sie haben gesagt, dass Ihr Name Officer Garza ist, richtig?" Ich musste mich an alles erinnern, was der Mann zu sagen hatte.

Er schüttelte den Kopf. „Nein. Ich bin *Detective* Garza vom Brownsville Police Department." Er trat vor, als ich einen Schritt zurückwich, um ihn hereinzulassen. „Sie haben ein schönes Haus, Mr. Duran."

„Danke." Ich schloss die Tür hinter ihm und setzte mich auf das Sofa. „Bitte nehmen Sie Platz." Er sollte nicht denken, dass ich Grund hatte, mich zu fürchten. Schließlich hatte ich nichts verbrochen. Ich hatte nichts falsch gemacht. Zurie aber schon. Und auch Niko Armstrong.

Er setzte sich mir gegenüber, stützte die Ellbogen auf die Knie und faltete die Hände. „Heute Nachmittag ist eine junge Frau namens Zurie Nala zu mir gekommen."

„Ach ja?" Mein Magen verkrampfte sich, als ich mich auf seine Anschuldigungen gefasst machte.

„Ja. Und es ging ihr gar nicht gut. Sie kam im Vertrauen zu

mir, damit nichts, was sie sagte, aktenkundig ist. Angeblich hat sie Beweise dafür, dass sie in der Nacht, die Sie beide zusammen hier verbracht haben, nicht zurechnungsfähig war. Sie behauptet, Beweise dafür zu haben, dass etwas in ihrem Körper war, das sie nicht freiwillig eingenommen hatte. Sie glaubt wirklich, dass Sie sie unter Drogen gesetzt haben, indem Sie etwas in eine Wasserflasche gemischt und ihr gegeben haben."

„Was hat sie Ihnen sonst noch erzählt, Detective?" Für mich klang es so, als hätte sie vieles weggelassen.

„Sie hat mir erzählt, dass sie Ihnen ein Angebot gemacht hat – eine Möglichkeit, alles wiedergutzumachen. Aber Sie haben nicht getan, was sie verlangt." Er lehnte sich zurück und schlug die Beine übereinander, während er seufzte. „Hören Sie, als Mann muss ich sagen, dass ich sie dafür respektiere, dass sie Ihnen die Chance gibt, das wiedergutzumachen. Sie will keine Anzeige erstatten. Sie hat gesagt, dass das, worum sie Sie gebeten hat, Ihnen nicht im Geringsten schaden würde. Dass es nur ein Gefallen ist. Wenn ich mich zwischen einer Anzeige wegen sexueller Nötigung und einem kleinen Gefallen entscheiden müsste, würde ich Letzteres wählen."

„Auch wenn dieser Gefallen bedeuten würde, dass Sie nicht nur aufhören müssten, Ihren eigenen Traum zu verwirklichen, sondern auch die Menschen, die Ihnen am Nächsten stehen, davon überzeugen müssten?" Er hatte keine Ahnung, was sie von mir verlangte.

„Sobald es solche Vorwürfe gegen einen Mann gibt, bringt er Schande über sich und seine Familie. Selbst wenn er nicht für schuldig befunden wird, wird er seinen schlechten Ruf nie wieder los. Das sollten Sie verstehen, Mr. Duran."

Mein Blut kochte, als er mich ansah, als wäre es richtig, nachzugeben. „Dieser Gefallen, um den Zurie mich bittet, ist überhaupt nicht für sie. Hat sie Ihnen etwas über Niko Armstrong erzählt? Der Gefallen nutzt ihm – nicht ihr."

„Sie hat keinen anderen Namen als Ihren genannt, Cayce

Duran. Sie ist nur zu mir gekommen, um zu fragen, ob ich Sie zur Vernunft bringen kann. Sie sagte mir, dass ihr die Zeit davonläuft und sie bald aufhören wird, so nachsichtig zu sein."

„Nachsichtig?" Ich musste lachen. „Sie hat sich als nachsichtig bezeichnet? Wow. Ich verstehe diese Frau wirklich nicht. Sie ist einfach unglaublich."

„Sie scheinen das nicht ernst zu nehmen."

„Oh, ich nehme es ernst. Ich habe noch nicht viel dagegen unternommen, aber Sie können mir glauben, dass ich bald damit anfangen werde. Sie sitzen hier und sagen mir, dass ich mich erpressen lassen soll, anstatt auf meiner Unschuld zu beharren. Ich habe nichts falsch gemacht. Zurie lügt. Sie hat mich aufgespürt und in die Falle gelockt. Das war immer ihr Plan. Ein Plan, den sie mit meinem ehemaligen Chef Niko Armstrong ausgeheckt hat. Und Sie denken, es wäre das Beste für mich, einfach mein Leben aufzugeben und zu tun, was er will, um irgendwelche hässlichen Folgen zu vermeiden? Nun, das wird nicht passieren."

Ich stand auf, ging zur Tür und öffnete sie, bevor ich nach draußen deutete. „Ich denke, Sie sollten jetzt gehen, Detective Garza." Ich hatte meine Zweifel, dass der Mann überhaupt ein echter Polizist war.

Er stand auf und ging zur Tür. Dann sah er mich mit ernsten Augen an. „Sie sollten einfach tun, worum Zurie Sie gebeten hat, sonst …"

„Ich habe Ihre Meinung gehört. Danke." Ich schloss die Tür, holte mein Handy aus der Tasche und rief die verlogene Schlampe an.

Sie antwortete beim dritten Klingeln. „Ich hoffe, du hast ihm gut zugehört, Cayce."

„Alles, was ich gehört habe, war ein Haufen Lügen."

„Hör zu, das hier ist kein Spiel, Cayce. Das musst du verstehen. Du hast fast keine Zeit mehr, endlich das zu tun, was du tun musst", brüllte sie.

„Schrei mich nicht an. Und erzähle mir nichts mehr von

diesem Unsinn, Zurie. Du kannst mich anzeigen. Aber ich kann das Gleiche mit dir machen. Und du kannst Niko wissen lassen, dass ich ihn auch anzeigen werde. Ich weiß, dass ihr beide bei dieser Sache zusammenarbeitet. Er ist genauso schuldig wie du. Und dieser Mann, den ihr beide dazu gebracht habt, sich als Polizist auszugeben, wird ebenfalls zur Rechenschaft gezogen werden. So etwas ist illegal, wie du bestimmt weißt. Oder vielleicht auch nicht. Vielleicht ist es dir egal, wer bei diesem Wahnsinn verletzt wird."

„Bitte mache einfach, was er verlangt." Es klang fast so, als ob ihre Stimme für eine Sekunde brach. Ein Teil von mir wollte diese Verletzlichkeit ausnutzen, Zurie unter Druck setzen und herausfinden, warum sie das tat. Aber dann räusperte sie sich und mein Mitgefühl für sie verschwand so schnell, wie es gekommen war. „Ich kann dir nicht sagen, wie lange er noch warten wird. Wenn du Glück hast, gibt er dir noch eine Woche. Aber ich bin mir nicht sicher. Ich würde es hassen, wenn dir oder deinen Brüdern etwas Schlimmes passiert."

Bei der Erwähnung meiner Brüder flammte mein Hass glühend heiß auf. „Hör zu, du niederträchtige Schlampe. Wenn einem von ihnen etwas zustößt, bringe ich dich und das Arschloch, für das du arbeitest, um. Hörst du mich?"

Stille war alles, was ich bekam, und als ich auf mein Handy blickte, sah ich, dass sie den Anruf beendet hatte.

# KAPITEL ACHTZEHN

## ZURIE

*Er hasst mich.*

Mein Herz fühlte sich an, als würde es von einer Faust umklammert werden, die es jeden Moment fester zusammendrückte. Ich fiel auf das Bett und schloss meine Augen. Tränen füllten sie und strömten über mein Gesicht.

Ich hasste mich selbst, also warum sollte Cayce mich nicht auch hassen?

Meine Schwäche hatte alles Gute zerstört, was einst in mir gewesen war. Ich war nichts anderes als die niederträchtige Schlampe, als die Cayce mich bezeichnet hatte. Ich hielt es nicht mehr für möglich, wieder der Mensch zu werden, der ich gewesen war, bevor Niko Armstrong mich in sein Büro gerufen hatte. Ich hatte mich verändert. Ich hatte Dinge getan, die mein altes Ich unvorstellbar gefunden hätte.

Ich holte tief Luft, wischte die Tränen mit dem Handrücken weg und setzte mich auf. Ich durfte nicht mehr weinen. Ich musste etwas unternehmen.

Tommys Worte fielen mir wieder ein. *Gehen Sie mit Ihren Freunden etwas trinken.*

Ich hatte mich von meinen wenigen Freunden zurückgezogen. Niemand durfte von den schrecklichen Dingen, die ich tat, erfahren, also hatte ich ihnen erzählt, dass die Arbeit meine ganze Zeit in Anspruch nahm. Seitdem ließen sie mich in Ruhe.

Ich hatte keine Möglichkeit, mit jemandem, den ich kannte, auszugehen und etwas zu trinken. Ich konnte mich nicht einmal mir selbst stellen, geschweige denn jemandem, der mir wichtig war. Also duschte ich, zog ein Kleid und High Heels an und fuhr zu Dilly's Bar and Grill, um allein zu trinken.

So traurig war mein Leben geworden – ich trank allein.

Sobald ich die schwach beleuchtete Bar betrat, suchten meine Augen nach Cayce, so wie in jener Nacht, in der ich sein und mein Leben ruiniert hatte.

„Möchten Sie einen Tisch für eine Person?", fragte die Kellnerin.

„Ja. Hinten. So weit hinten wie möglich." Ich folgte ihr zu einem winzigen Tisch in einer entfernten Ecke. „Danke."

„Was kann ich Ihnen zu trinken bringen? Möchten Sie auch etwas essen?"

„Nein. Bringen Sie mir einfach einen großen, starken Drink." Meine Mission war, eine Weile alles hinter mir zu lassen.

Mit einem breiten Lächeln sagte sie: „Unser Texas Tea ist beides. Wie klingt das?"

„Wunderbar."

„Sie können dazu eine Zitronenscheibe oder eine Limettenscheibe haben. Was bevorzugen Sie?"

„Limette." Ich holte mein Handy aus meiner Handtasche und scrollte durch meine sozialen Medien, während ich auf den Drink wartete. Es war über eine Woche her, dass ich etwas gepostet hatte. Als ich mich an den Grund dafür erinnerte, legte ich schnell mein Handy weg und beobachtete stattdessen die anderen Gäste.

Ein Paar bewegte sich über die kleine Tanzfläche und hielt sich dabei eng umschlungen. Ich sah schnell weg, weil ich mich nicht daran erinnern wollte, wie Cayce und ich in jener Nacht getanzt hatten.

„Hier ist Ihr Drink", sagte die Kellnerin, als sie mit einem hohen Glas voller dunkler Flüssigkeit zurückkam. „Ich habe Ihnen auch eine frische Schale Erdnüsse mitgebracht. Es kann nicht schaden, etwas im Magen zu haben, wenn man etwas so Starkes trinkt."

„Danke." Ich nahm den Drink und nippte daran. „Das schmeckt für mich wie süßer Tee." Ich hatte meine Zweifel, ob dieser Cocktail mich trösten könnte. „Sind Sie sicher, dass es stark ist?"

Sie lachte. „Es ist eine Mischung aus acht Zutaten: Tequila, Bourbon, Gin, Rum, Wodka, Triple Sec, Sour Mix und Soda. Fünf davon sind alkoholisch. Ich würde sagen, das ist ein ziemlich starker Drink. Sie nicht?"

„Er klingt stärker, als er schmeckt." Ich hielt das Glas hoch. „Danke, dass Sie mir davon erzählt haben." Ich probierte noch einen Schluck und schmeckte immer noch nichts anderes als Tee, der anscheinend nicht einmal eine der Zutaten war.

Sie winkte mir zu und drehte sich um, um zu gehen. „Genießen Sie ihn verantwortungsvoll."

*Ja, genau.*

Meine Sorgen mussten ertränkt werden und genau das wollte ich tun. Ich wusste, dass ich in dieser Nacht nicht selbst nach Hause fahren würde. Ein Uber würde mich dorthin bringen.

Es war vielleicht erst eine Woche her, dass ich vom rechten Weg abgekommen war und nicht mehr umkehren konnte, aber es fühlte sich wie eine Ewigkeit an. Also trank ich einen, zwei und dann drei Texas Teas.

Jedes Mal, wenn ich meinen Kopf zu schnell bewegte, um mir die Menschenmenge anzusehen, die sich auf der Tanzfläche versammelt hatte, wurde mir schwindelig. Die Tür ging auf und ich drehte meinen Kopf, um nachzusehen, wer hereingekommen war. Die verschwommene Gestalt ging direkt zur Theke und setzte sich dorthin.

Sie schien breite Schultern zu haben und wirkte groß und muskulös wie ein Mann, nicht schlank wie eine Frau. Ich starrte die Person weiter an, bis meine Sicht klarer wurde.

*Cayce!*

Mit meinem Drink in der Hand stand ich langsam auf, um nicht das Gleichgewicht zu verlieren. Ich trat schwankend hinter Cayce und tippte ihm auf die Schulter.

„Ja?" Er drehte sich um, aber sobald er mich sah, wurde sein freundliches Gesicht wütend. „Du! Verschwinde, Zurie!"

„Das kann ich nicht." Ich setzte mich auf den leeren Barhocker neben ihm.

„Du bist betrunken", sagte er angewidert und musterte mich von oben bis unten.

„Ich weiß." Ich stellte das fast leere Glas auf die Theke. „Texas Teas." Ich hielt drei Finger hoch. „So viele."

Er schnippte mit den Fingern und sagte zu dem Barkeeper: „Geben Sie ihr eine Tasse schwarzen Kaffee."

„Igitt", sagte ich. Das klang widerlich. „Wasser."

„Du *brauchst* Kaffee." Er nahm die Tasse, die der Barkeeper vor ihn stellte. „Und eine Tasse Eiswürfel." Einen Moment später kam der Barkeeper mit dem Eis zurück. Cayce ließ ein paar Würfel in den Kaffee fallen und rührte ihn um, bevor er ihn vor mich schob. „Trink das."

Ich nahm die warme Tasse in beide Hände und trank einen kleinen Schluck, da ich wusste, dass es schrecklich schmecken würde. Und ich hatte recht. „Oh, igitt. Das braucht viel Zucker."

„Nein. Kein Zucker. Einfach nur Kaffee."

Ich trank noch einen Schluck. „Ich habe dich vermisst."

Er starrte mich finster an. „Das kannst du nicht zu mir sagen."

„Ich habe es gerade gesagt. Hast du mich überhaupt nicht vermisst?" Ich hoffte, dass er es getan hatte.

„Nein."

„Du hasst mich. Ich weiß, dass du es tust." Ich stellte den Kaffee ab.

Er nahm die Tasse und drückte sie wieder in meine Hände. „Trink weiter."

Ich tat es und konnte nicht anders, als zu lächeln. „Du sorgst dich um mich. Nicht wahr?"

„Ich sorge mich um die Menschen, denen du begegnen könntest. Wer weiß, wen du in diesem Zustand beschuldigst." Er legte den Kopf schief und fügte hinzu: „Oh, warte. Das hatte ich ganz vergessen. Du bist dazu angeheuert worden, mir das anzutun. War irgendetwas, das du zu mir gesagt hast, die Wahrheit, Zurie?"

„Vieles davon."

Der Barkeeper brachte Cayce ein Bier. „Sonst noch etwas?"

„Ja, bringen Sie uns gebratene Pilze und eingelegte Gurken. Wie wäre ein Schinken-Käse-Sandwich?" Cayce schaute mich an. „Du siehst aus, als hättest du seit einer Woche nichts gegessen."

„Das liegt wahrscheinlich daran, dass es so ist." Ich trank mehr von dem Kaffee. Dieses Mal schmeckte er kaum noch bitter.

Die Kellnerin trat hinter mich. „Sie haben Ihre Handtasche auf dem Tisch liegen lassen. Ich dachte, ich bringe sie Ihnen."

Cayce nahm die Handtasche entgegen. „Danke. Können Sie ihre Drinks auf meine Rechnung schreiben?"

„Natürlich", sagte sie.

Ein Lächeln breitete sich auf meinem Gesicht aus. Er war so ein süßer Mann. Ich konnte mich nicht zurückhalten. „Oh, Cayce. Das ist sehr nett von dir."

„Ich versuche nicht, nett zu sein. In deinem derzeitigen Zustand würdest du wahrscheinlich vergessen, deine Rechnung zu bezahlen, und das hat die arme Kellnerin nicht verdient." Er runzelte die Stirn, als er sich in den Nasenrücken kniff. „Ich weiß selbst nicht, warum ich mir überhaupt Sorgen um dich mache."

„Ich schätze, das liegt daran, dass du mich nicht so sehr hasst, wie ich dachte. Oder du. Ich habe dich nie gehasst. Ich mochte dich. Sehr."

Er lachte, aber es war kein fröhliches Lachen. Es war so bitter, dass mir Tränen in die Augen stiegen. „Wenn das wahr ist, hast du eine seltsame Art, es zu zeigen. Du bist die Einzige, die das alles beenden kann. Du allein hast die Macht, Zurie."

Ich saß wie versteinert da und versuchte, seine Worte zu verarbeiten. „Ich habe die Macht?" Ich hatte nicht das Gefühl, dass es so war. Ganz im Gegenteil – ich fühlte mich machtlos.

Das Sandwich wurde serviert und er hielt mir eine Hälfte davon hin. „Iss."

Ich nahm das Sandwich und biss hinein. Ich hatte hier und da einen Cracker gegessen, aber sonst nichts. „Oh Gott, Cayce. Das schmeckt so gut." Ich verschlang es im Handumdrehen und aß dann auch noch die andere Hälfte.

Als der Vorspeisenteller kam, nahm Cayce eine Gurke und steckte sie in seinen Mund. „Ich habe letzte Woche auch nicht viel gegessen." Er sah den Barkeeper an. „Kann ich ein T-Bone-Steak mit Ofenkartoffel und allen Extras haben?"

„Sicher", sagte der Barkeeper. „Wie gut durch soll das Steak sein?"

„Medium." Cayce sah mich an, als er den Teller zu mir schob. „Hör nicht auf zu essen. Die Farbe kehrt in deine Wangen zurück."

Ich berührte mein Gesicht. „Wirklich?" Als ich das letzte Mal in den Spiegel geschaut hatte, hatte ich wie der Tod ausgesehen.

Er sah mich über den Rand seiner Bierflasche hinweg an, nickte und stellte sie auf den Tresen. „Zurie, wie viel bezahlt er dir dafür?"

Darüber wollte ich nicht sprechen. Ich war in die Bar gekommen, um Niko und seine Drohungen zu vergessen. „Cayce, können wir bitte nicht darüber reden? Ich bin hergekommen, um mich abzulenken. Bitte, Cayce. Kann ich es einfach vergessen, wenn auch nur heute Nacht? Kannst du es auch heute Nacht vergessen? Können wir einfach so tun, als wäre nichts passiert? So, als hätten wir uns erst heute Abend kennengelernt?" Ich berührte seinen Arm. „Spürst du das?"

Er nickte, als seine Augen glasig wurden. „Ja. Es ist immer noch da – der Funke."

„Ich kann es auch spüren." Ich strich mit meiner Hand über seinen Arm, schloss meine Augen und erinnerte mich daran, wie sich seine nackte Haut unter meinen Handflächen angefühlt hatte, als wir uns geliebt hatten. „Das war die beste Nacht meines Lebens", flüsterte ich und schluckte schwer, als ich es endlich laut zugab.

„Hey, rede nicht über die Vergangenheit. Wir haben uns gerade erst kennengelernt, nicht wahr?" Er lachte und trank einen weiteren Schluck Bier. Er klang weniger verbittert und mein Herz machte einen Sprung. „Du bist immer noch nicht nüchtern."

„Nein." Ich ließ meine Hand auf seinem Bizeps. „Das bin ich nicht."

Hitze durchdrang mich und tief in meinem Körper pulsierte etwas. Ich konnte meine Augen nicht von seinem Gesicht lösen. Er sah so gut aus. Und er verstand es, auf eine unvergleichliche Weise mit meinem Körper umzugehen.

Ich aß den Vorspeisenteller leer, während er sein Steak und seine Ofenkartoffel aß. Ich trank zwei weitere Tassen Kaffee und er trank noch zwei Flaschen Bier. Wir saßen schweigend da, unsere Schultern berührten sich und unsere Knie streiften einander. Und mir wurde immer heißer.

Als er seinen leeren Teller wegschob, drehte er sich zu mir um. „Fühlst du dich jetzt besser?"

„Viel besser." Ich wischte mir den Mund mit einer Serviette

ab und leckte über meine Lippen, die sich danach sehnten, seine Lippen zu berühren. „Cayce, darf ich dich etwas fragen?"

„Wenn du willst."

„Können wir noch eine Nacht zusammen verbringen?" Ich schloss meine Augen und betete, dass er Ja sagen würde.

„Das soll wohl ein Scherz sein. Du wirst mich auf keinen Fall dazu bringen, dich jemals wieder anzurühren, Zurie. Niemals."

„Du hast Angst vor mir." Ich blickte direkt in seine dunklen Augen und sah das Misstrauen darin. „Ich habe dir Angst vor mir gemacht."

„Verdammt ja, das hast du." Kopfschüttelnd fügte er hinzu: „Was hast du erwartet?"

„Ich werde nichts, was wir heute Nacht tun, gegen dich verwenden. Das schwöre ich dir." Ein Gedanke kam mir in den Sinn. Es war nichts, was ich jemals zuvor getan hatte. Aber ich würde es für ihn tun. „Cayce, du hast dich meiner Berührung nicht entzogen. Ich weiß, dass du mich willst."

„Das ist völlig egal." Er holte tief Luft. „Ich kann mich beherrschen."

„Also gibst du zu, dass du mich willst." Ich lächelte. „Und ich gebe zu, dass ich dich will."

„Das spielt keine Rolle. Ich kann dir nicht vertrauen. Ich werde dir nie wieder vertrauen."

Die Idee wirbelte in meinem Kopf herum. Ich war nicht mehr betrunken, aber trotzdem hemmungslos. „Du kannst ein Video von uns machen. Auf diese Weise hast du den Beweis, dass alles einvernehmlich war."

Ich hielt den Atem an und wartete auf seine Antwort.

# KAPITEL NEUNZEHN

## CAYCE

*Jetzt ist sie völlig verrückt!*

„Das kann nicht dein Ernst sein", sagte ich ungläubig.

„Aber du siehst so aus." Ich schüttelte den Kopf und versuchte, jeden Gedanken daran loszuwerden, tatsächlich zu tun, was sie vorgeschlagen hatte.

„Doch, ich meine es ernst. Du kannst uns mit deinem Handy aufnehmen. Ich sage alles, was du willst. Ich werde dafür sorgen, dass offensichtlich ist, dass ich einverstanden bin." Ihre Finger strichen über meinen Arm. „Du willst es doch auch."

*Verdammt ja, das will ich.*

„Zurie, du hast mir wehgetan."

„Ich weiß." Sie senkte den Kopf. „Das tut mir so leid, Cayce."

Ich wusste, dass sie das Ganze leicht beenden konnte, wenn sie wollte. Und wenn ich einen Videobeweis dafür hätte, dass sie bereit war, wieder Sex mit mir zu haben, dann könnte dieser Beweis die belastenden Dokumente, die sie möglicherweise hatte, entkräften.

„Du sagst, dass es dir leidtut, aber du unternimmst nichts, um diese Intrige zu stoppen. Dir ist klar, dass du die Einzige bist, die das tun kann, oder?" Ich hatte sie schon einmal gefragt, aber der Gedanke schien ihr völlig fremd zu sein.

„Cayce, darüber will ich nicht reden, erinnerst du dich?" Sie sah auf und lächelte sexy. „Also, was denkst du über das, was ich vorgeschlagen habe? Ich halte es für eine großartige Idee."

„Ach ja?" Meine Augen schweiften durch die Bar. Ich bemerkte einen dunklen Flur, der nach hinten führte. „Zurie, ich kann es mir nicht leisten, bei dir leichtsinnig zu sein." Noch während die Worte meinen Mund verließen, suchte ich nach einem Ort, an dem wir allein sein konnten.

Ihre Hand wanderte über meine Schulter. Dann schob Zurie sie in mein Hemd und streichelte meine Brust. „Bitte, Cayce. Ich schwöre, dass ich dir nicht schaden werde. Ich brauche dich einfach so sehr." Da war er wieder, dieser winzige Bruch in ihrer Stimme, der sie so verletzlich klingen ließ. Als ob sie Schutz bräuchte.

Ich nahm ihre Hand und starrte in ihre dunklen Augen. Sie schimmerten und glänzten auf eine Weise, die mich fesselte. „Warum musst du so verdammt hübsch sein? Warum musst du eine so starke Wirkung auf mich haben? Warum bin ich dabei, etwas zu tun, das ich ganz bestimmt bereuen werde?"

Ein langsames Lächeln umspielte ihre rosa Lippen. „Wohin sollen wir gehen?"

Ich drehte mich um. „Barkeeper, ich möchte meine Rechnung bezahlen."

Bei Zuries Seufzer zog ihr warmer Atem an meinem Ohr vorbei, als sie sich vorbeugte und flüsterte: „Danke."

Nachdem ich die Rechnung bezahlt hatte, nahm ich ihre Hand. Ich führte sie zum hinteren Teil der Bar, den langen, dunklen Flur entlang, und blieb vor einer Tür stehen, auf der *Nur Personal* stand.

„Sieht nach einem guten Ort aus." Ich öffnete die

unverschlossene Tür und fand einen Lagerraum, also zog ich sie hinein und schloss die Tür hinter uns ab. Als ich den Lichtschalter drückte, entdeckte ich einen Notausgang. „Gut, wir können die Bar von hier aus verlassen."

Sie kniete sich vor mich und begann, meine Hose zu öffnen. „Ich werde alles wiedergutmachen."

„Noch nicht." Ich würde das nicht tun, ohne es zu filmen. Ich holte mein Handy heraus, fand einen Stapel Kartons, auf den ich es stellen konnte, und begann mit der Aufnahme. „Jetzt kannst du anfangen."

„Warte." Sie drehte sich um, um in die Kamera zu sehen. „Ich, Zurie Nala, werde hier und jetzt völlig freiwillig mit Cayce Duran Sex haben. Ich verspreche, es zu keinem Zeitpunkt gegen ihn zu verwenden." Sie sah zu mir auf. „Kannst du mir das Gleiche versprechen, Cayce?"

Ich strich mit meinen Händen über ihre glänzenden silbernen Haare und nickte. „Ich werde dieses Video nicht gegen dich verwenden, Baby."

„Gut." Sie leckte über ihre Lippen, als sie mir meine Hose herunterzog und die Erektion enthüllte, die ich schon seit einiger Zeit hatte. „Sieht so aus, als wärst du bereit für mich." Sie ließ ihre Hände über meinen Schwanz gleiten und küsste die Spitze, bevor sie ihren Mund darum legte.

Ich stöhnte bei ihrer Berührung und lehnte mich an die Wand. Ein Teil von mir wusste, dass ich mit dem Feuer spielte, aber dem anderen Teil war es egal. Ich hatte Zurie vermisst – die Zurie, mit der ich die Nacht verbracht hatte. Ich hatte vermisst, wie ich mich bei ihr gefühlt hatte. Ich hatte ihre Berührung vermisst. Ich hatte ihre süße Stimme vermisst. Ich hatte die Elektrizität vermisst, die zwischen uns Funken schlug, während wir uns liebten.

Ich sah nach unten und beobachtete, wie sie ihren Kopf hin und her bewegte, bis ich fast die Kontrolle verlor. „Halt." Ich löste mich von ihr. „Noch nicht."

Ich hob sie hoch und zog ihr Kleid über ihren Kopf. Dann

schob ich ihr Höschen herunter, sodass es zusammen mit dem Kleid und meiner Hose auf dem Boden landete. Schließlich öffnete ich ihren BH und zog ihn ihr aus.

Sie knöpfte mein Hemd auf und schob es von meinen Schultern. Wir standen nackt da, erkundeten einander mit den Händen und sahen uns in die Augen. „Ich möchte, dass du mich so liebst, wie du es in jener Nacht getan hast."

Ich hob sie hoch und drückte sie gegen meinen pulsierenden Schwanz. Ich benutzte die Wand, um sie oben zu halten, umklammerte ihren Hintern mit meinen Händen und drang in sie ein. „Du fühlst dich genauso gut an wie beim ersten Mal."

„Du dich auch." Ihre Hände umfassten mein Gesicht und zogen es näher, damit ich sie küsste.

Zuerst zögerte ich. Ich wusste, dass ich mich in diesem Kuss verlieren würde. Aber dann ließ ich es geschehen und alles verschwand, während der Kuss immer weiterging. In mir gab es keine Wut mehr. Keinen Hass. Alles, was ich wollte, war sie. Alles, was ich brauchte, war sie.

*Für immer.*

Ihr Körper explodierte und ich legte sie auf den Boden, bevor ich mich zwischen ihren gespreizten Beinen niederließ. Ich genoss die Art und Weise, wie ihr Körper um meinen Schwanz pulsierte und sich verkrampfte, während ich mich weiter bewegte und ihre und meine Sehnsüchte erfüllte.

Ich löste meine Lippen von ihren und küsste ihren Hals, während sie mit ihren Fingernägeln über meinen Rücken fuhr. „Danke, Cayce. Vielen Dank dafür, dass du das tust."

Ich zog meinen Kopf zurück und blickte sie an, nur um zu sehen, wie Tränen über ihr Gesicht liefen. „Weine nicht, Baby", flüsterte ich und küsste die Tränen weg. „Alles wird wieder gut. Du kannst es jetzt in Ordnung bringen."

Ich wollte sichergehen, dass die Worte bei ihr ankamen. Sie musste wissen, dass sie die Kontrolle hatte. Wenn sie nur halb so viel für mich empfand wie ich für sie, würde sie die

Erpressung abbrechen wollen, damit wir neu anfangen konnten.

„Küss mich, Cayce." Sie zog mein Gesicht wieder zu ihrem.

Bevor ich sie küsste, sagte ich: „Wir können zusammen sein, wenn du die Erpressung beendest. Wir können uns immer wieder lieben, so wie jetzt. Das hängt alles von dir ab. Ich will nur, dass du das weißt. Du hältst den Schlüssel zu unserer gemeinsamen Zukunft in deinen Händen, Baby." Ich meinte jedes Wort ernst.

Sie starrte in meine Augen und ich wusste, dass sie darin nach der Wahrheit suchte. „Cayce, du hast keine Ahnung, wie schön das klingt. Du hast keine Ahnung, wie gern ich mit dir zusammen wäre."

„Ich könnte für immer in deine Augen sehen, Zurie." Sie musste wissen, wie ich mich wirklich fühlte. „Ich könnte dein Gesicht ewig betrachten. Verstehst du, was ich sage?"

Sie nickte und seufzte. „Ja."

„Und du?", fragte ich. „Was siehst du in meinen Augen?"

„Hoffnung."

„Ich hoffe, dass du das hier genauso willst wie ich." Ich küsste sanft ihre Lippen, bevor ich mich zurückzog. „Willst du es?"

„Ich will dich. Das tue ich wirklich." Sie lächelte, als sie sich mir entgegenwölbte. „Mach mich zu deiner Frau, Cayce Duran."

Obwohl ich mir nicht sicher war, ob sie ehrlich war oder nicht, wusste ich, dass ihr Körper nicht log. Ich bewegte mich immer schneller, als ich sie liebte und betete, dass sie den Albtraum beenden würde, den sie entfesselt hatte. Nur sie konnte das tun. Nur sie konnte etwas zwischen uns beginnen, das wunderschön werden könnte. Wenn sie es nur zulassen würde.

Ihr Körper bebte und riss uns beide in den Abgrund der Ekstase. Keuchend und erschöpft lagen wir auf dem Boden.

Nachdem ich wieder zu Atem gekommen war, strich ich ihre Haare aus ihrem Gesicht und küsste ihre geröteten Wangen. „Das war verdammt gut."

„Ja, das war es", stimmte sie mir zu.

Jemand drehte den Türknauf und wir starrten beide erschrocken zur Tür. „Scheiße!", flüsterte ich, als ich aufsprang und sie mit mir zog.

Wir holten unsere Kleider und zogen sie an, so schnell wir konnten, als ein Mann auf der anderen Seite der Tür rief: „Hey, wer hat hier hinten abgeschlossen? Wo ist der Schlüssel?" Er rüttelte immer wieder am Türknauf und versuchte, die Tür zu öffnen. „Hey, ist jemand da drin?"

Angezogen und mit ihren Schuhen in der Hand, rannte Zurie zum Notausgang und riss ihn auf. Ein lautes Piepen ertönte. Der Kerl auf der anderen Seite der Tür fing an, dagegen zu hämmern. „Hey, aufmachen!"

Zurie lief los und sobald ich mir mein Handy geschnappt hatte, war ich nicht weit hinter ihr. Wir versteckten uns hinter einem Auto, als Leute aus der Bar strömten und das Personal nach hinten rannte, um nachzusehen, wer den Notausgang geöffnet hatte.

Es herrschte Chaos. Zum Glück, denn es erlaubte Zurie und mir, uns unter all die anderen Leute zu mischen, als wir zu meinem Truck gingen. „Soll ich dich mitnehmen?", fragte ich, als wir dort ankamen.

Sie sah mich lange an, bevor sie antwortete. „Ich sollte wahrscheinlich nach Hause gehen und etwas schlafen. Ich habe in der letzten Woche ungefähr so viel geschlafen, wie ich gegessen habe."

„Ja, ich auch." Ich hielt mein Handy hoch. „Wir können uns morgen treffen und uns unser Video ansehen."

Ihre Wangen wurden feuerrot. „Wow. Wir haben das tatsächlich getan, nicht wahr? Ich bin mir nicht sicher, ob ich es sehen möchte. Wahrscheinlich sehe ich seltsam aus. Vielleicht solltest du es dir auch nicht ansehen."

„Zur Hölle damit. Ich werde es mir ansehen. Du wirst nicht seltsam aussehen, sondern wunderschön. Komm schon, Baby. Wir machen ein Date daraus. Du, ich und unser Video. Morgen. Wer weiß, es könnte zu mehr führen …"

Ich nahm sie in meine Arme, küsste ihren Kopf und spürte, wie mein Herz schneller schlug. Sie legte ihre Arme um mich und lehnte ihren Kopf an meine Brust. „Das klingt himmlisch."

„Das finde ich auch. Also morgen?"

Sie zog ihren Kopf zurück und sah zu mir auf. „Morgen."

Ich küsste ihre süßen Lippen. „Ich begleite dich zu deinem Auto."

Wir hielten uns an den Händen, als wir durch die Menschenmenge gingen, um zu ihrem Auto zu gelangen. Als wir daneben stehen blieben, zog sie ihre Schlüssel aus ihrer Handtasche. Erst in diesem Moment fiel mir auf, dass ihr Auto nicht wie etwas aussah, das eine Frau, die für solche bösen Taten bezahlt wurde, fahren würde. „Niko hat dich bezahlt, oder?"

Ihre großen Augen begegneten meinen und sie wurde blass. „Cayce, darüber können wir nicht reden."

Einen Augenblick lang hatte ich das Gefühl, dass sie die Erpressung nicht stoppen würde. „Du *wirst* das beenden, nicht wahr?"

„Können wir morgen weiterreden?" Sie strich mit ihrer Hand über meine Wange. „Das Adrenalin lässt langsam nach und Erschöpfung tritt an seine Stelle. Ich muss nach Hause und ins Bett, bevor ich hinter dem Steuer einschlafe."

„Natürlich." Ich küsste sie noch einmal und betete, dass sie alles in Ordnung bringen würde. „Ich bin froh, dass wir uns heute Abend begegnet sind."

„Ich auch. Wirklich. Gute Nacht, Cayce." Sie stieg in ihr Auto und ich sah ihr nach, als sie wegfuhr.

*Bitte, Gott, lass sie das Unrecht wiedergutmachen, das sie mir angetan hat.*

# KAPITEL ZWANZIG

## ZURIE

Als ich aufwachte, war ich an den richtigen Stellen herrlich wund. Ich hatte ein Lächeln im Gesicht, mein Herz machte einen Sprung und ich spürte, wie sich mein Leben zu ändern begann. Ich war nicht mehr voller Angst und Bedauern, weil ich jetzt wusste, dass Cayce mich nicht hasste. Ich würde mein Leben nicht damit verbringen, mich zu fragen, was gewesen wäre, wenn ich Cayce Duran nie erpresst hätte.

Er hatte mir mehrmals gesagt, dass ich die Macht hatte, die Erpressung zu beenden. Und ich hatte angefangen, ihm zu glauben. „Ich habe die Macht!", rief ich, als ich meine geballten Fäuste in die Luft reckte.

Mein Handy klingelte und ich drehte mich um und hoffte, dass es Cayce war. Mein Herz rutschte mir in die Hose, als ich sah, dass es Niko war. Obwohl ich ihn ignorieren wollte, wusste ich, dass ich den Anruf annehmen musste. Also tat ich es. „Hallo."

„Zurie, ich wollte nur anrufen, um Ihnen mitzuteilen, dass Sie gestern Abend mit Cayce Duran gesehen worden sind. Was hat es damit auf sich?"

Ich fuhr mir mit der Hand über das Gesicht und seufzte. Ich hatte nicht gedacht, dass jemand auf mich und Cayce achten würde. „Nichts", sagte ich rundheraus.

„Es muss etwas gewesen sein. Sagen Sie es mir", verlangte er. „Sonst …"

„Niko, wir haben nur geredet. Ich habe versucht, ihm klarzumachen, dass er tun muss, was Sie wollen, weil es ihm sonst sehr schlecht ergeht", log ich. Ich musste Niko glauben lassen, dass ich immer noch für ihn an der Erpressung arbeitete, obwohl ich es nicht tat.

Ich musste mir überlegen, was ich tun konnte. Ich hatte die Chance, mit Cayce zusammen zu sein, also würde ich mein Bestes geben, um die Erpressung zu beenden. Aber gleichzeitig musste ich an meine Mutter und meine Schwester denken.

„Komisch, meine Quelle sagt, dass Sie von ihm umarmt wurden und dann mit ihm verschwunden sind. Aber Sie wurden später noch einmal gemeinsam auf dem Parkplatz gesichtet. Er hat Sie zu Ihrem Auto begleitet und Sie geküsst. Verzeihen Sie mir also, wenn ich nicht glaube, dass Sie ihn unter Druck gesetzt haben, Zurie."

*Verdammte Scheiße! Was soll ich jetzt tun?*

„Da meine Herangehensweise nicht funktioniert hat, habe ich mich entschieden, einen anderen Weg einzuschlagen. Wie heißt es so schön: Mit Honig fängt man mehr Fliegen als mit Essig."

„Warum höre ich in letzter Zeit so viele schreckliche Sprichwörter? Wer will schon Fliegen fangen?" Er schnaubte. „Ich habe nicht das Gefühl, dass Sie das, was ich gesagt habe, ernst nehmen. Vielleicht war ich zu nachsichtig mit Ihnen. Zu großzügig. Also habe ich beschlossen, den Zeitrahmen zu ändern. Da Sie und Cayce Duran anscheinend eng befreundet sind, erwarte ich, dass Sie den Deal bis Montag besiegeln. Nutzen Sie Ihre Reize, um ihn dazu zu bringen, wieder für mich zu arbeiten. Ich gebe Ihnen eine Woche, um ihn davon zu überzeugen, seine

Brüder an Bord zu holen, aber ich will ihn am Montag wieder hier haben."

Mir wurde schwindelig. „Er wird nicht einwilligen. Noch nicht." Niemals, aber das wollte ich nicht sagen. Ich brauchte Zeit, um herauszufinden, wie ich weitermachen sollte, und er hatte mir gerade verdammt viel davon weggenommen.

„Sorgen Sie dafür, dass er einwilligt." Es klickte in der Leitung, dann vibrierte mein Handy. „Ich habe Ihnen gerade ein Foto geschickt, das Sie sich ansehen sollten. Ich meine es ernst, Zurie. Tun Sie, was ich sage. Sie haben Ihre Fristen. Keine Ausreden."

Ich sah mir das Foto an, das er mir geschickt hatte – es zeigte meine Mutter und meine Schwester, die auf Stühlen in ihrem Vorgarten saßen, ohne zu wissen, dass jemand Aufnahmen von ihnen machte. „Bitte, tun Sie ihnen nicht weh. Ich werde alles tun, was Sie verlangen." Meine Schultern sanken bei der Erkenntnis, dass er wieder gewonnen hatte.

„Das will ich hören. Diesmal will ich Ergebnisse. Ich habe es satt zu warten. Und wenn ich die Geduld verliere, werden Menschen verletzt oder ihnen passiert noch Schlimmeres …" Er beendete das Gespräch und ließ mich mit Tränen in den Augen zurück.

Cayce verließ sich darauf, dass ich dieses ganze Chaos beseitigte, und ich würde ihn bestimmt wieder enttäuschen. Aber was konnte ich sonst tun?

Meine Familie war viel wichtiger als mein eigenes Glück. Und Cayce machte mich glücklich. Wenn wir zusammen waren, gab er mir das Gefühl, die Königin der Welt zu sein.

Vielleicht war mir die Vorstellung, dass ich Macht über diese Situation hatte, zu Kopf gestiegen. Ich hatte nicht mehr Macht als zuvor. Niko hatte alles und ich hatte nichts.

Mein Handy klingelte wieder. Diesmal war es meine Mutter. „Hi, Mom." Ich wischte mir die Tränen aus den Augen. „Wie geht es dir?"

„Nun, ich möchte nicht, dass du dir Sorgen machst. Ich bin

sicher, dass es mir bald wieder besser geht. Ich habe nur Brustschmerzen. Ich versuche, den Stress nicht an mich heranzulassen, aber scheinbar ohne Erfolg. Sonst würde meine Brust nicht so wehtun."

„Oh, Mom, das tut mir so leid." Die arme Frau hatte einfach kein Glück. Genauso wie ich.

*Vielleicht sind wir verflucht.*

„Deine Schwester hatte letzte Nacht einen Albtraum. Sie ist aufgewacht und hat deinen Namen geschrien. Es hat ewig gedauert, sie zu beruhigen. Sie möchte mit dir reden, um sicherzustellen, dass es dir gut geht."

„Okay, gib sie mir."

„Zurie?", fragte Antiqua. „Bist du das?"

„Ja, Antiqua. Mir geht es gut. Wie geht es dir?"

„Geht es dir wirklich gut?", fragte sie. „Ich habe geträumt, dass es dir schlecht geht, Zurie. Du hast fürchterlich geweint und warst sehr traurig. Um dich herum war alles dunkel. So dunkel und gruselig. Ich mache mir Sorgen um dich. Willst du nach Hause kommen?"

Ich wollte *etwas*, aber ich war mir nicht sicher, was es war. „Ich vermisse dich, kleine Schwester."

„Ich vermisse dich auch."

„Wenn ich genug Geld hätte, um nach Hause zu kommen, würde ich dich besuchen." Ich würde es wirklich tun. Wenn ich das Geld hätte.

„Zurie, du solltest nach Hause kommen. Mom ist krank. Sie schläft die ganze Zeit."

Das klang schrecklich. „Sie muss zum Arzt." Ich legte meine Hand über meine Augen und wünschte, ich könnte mehr tun, um ihnen zu helfen. Wenn sie bei mir wohnen würden, könnte ich sicherstellen, dass sie die medizinische Versorgung bekamen, die sie brauchten. Aber meine Mutter hatte Flugangst, also kam das nicht infrage.

„Zurie, alles wird gut. Mach dir keine Sorgen. Es tut mir

leid, dass ich dich beunruhigt habe. Es tut mir leid, Zurie. Weine nicht."

„Ich weine nicht, Antiqua. Mir geht es gut", log ich, während mir die Tränen über das Gesicht liefen.

Ich nahm ein Glas Wasser von meinem Nachttisch und trank es in einem Zug aus. Ich hatte so viel geweint, dass ich ganz ausgetrocknet war. Das Letzte, was ich tun durfte, war, auch noch krank zu werden. Es gab so viel zu planen. Und ich hatte so wenig Ressourcen, um etwas davon in die Tat umzusetzen.

„Zurie?", fragte meine Mutter, als sie wieder ans Telefon ging. „Bist du noch da?"

„Ja, Mom." Mein Herz schlug immer langsamer, als die Depression einsetzte. Ich hatte überhaupt keine Macht. Cayce hatte sich geirrt. „Ruhe dich aus. Ich rufe dich nächste Woche wieder an. Ich liebe dich. Sag Antiqua, dass ich sie auch liebe."

„Das mache ich. Ich liebe dich auch, Zurie. Pass auf dich auf. Und mach dir keine Sorgen um uns. Wir schaffen das. Das tun wir immer."

„Bye." Ich beendete den Anruf und drehte mich um, um mein Gesicht in meinem Kissen zu vergraben.

Ich wollte mich in Luft auflösen. Nur dann würde Niko aus meinem Leben verschwinden. Nur dann würde er mich nicht mehr für seine bösen Taten benutzen können. Aber er hatte überall Augen – das wusste ich jetzt.

*Ich könnte zur Polizei gehen.*

Ich drehte mich um und starrte an die Decke, während ich darüber nachdachte, was die Polizei tun würde. „Wenn ich das mache, könnte Niko denjenigen, der meine Familie beobachtet hat, damit beauftragen, sie umzubringen. Ich muss sie an einen sicheren Ort bringen, bevor ich auch nur daran denke, zur Polizei zu gehen."

Das Problem war, dass ich meine Mutter und meine Schwester nirgendwohin bringen konnte. Und wie sollte ich dafür sorgen, dass sie nicht von Nikos Spionen verfolgt wurden?

*Es gibt keinen Ausweg.*

Als eine SMS einging, sah ich auf mein Handy. Es war Cayce.

**- Ich bin froh, dass wir uns versöhnt haben, und kann es kaum erwarten, dich zu sehen. Komm vorbei, wann immer du willst. Ich habe den ganzen Tag und die ganze Nacht frei. Schreibe mir vorher, damit ich das Tor für dich offen lassen kann. Ich vermisse dich. -**

Ich musste mit ihm reden. Ich musste ihn dazu bringen, das zu tun, was Niko wollte. Aber ich hatte keine Ahnung, wie er darauf reagieren würde.

Ich antwortete ihm schnell.

**- Ich bin auch froh, dass wir uns versöhnt haben. Ich schreibe dir, wenn ich unterwegs bin. Ich vermisse dich auch. -**

Er würde sich nicht mehr darauf freuen, mich zu sehen, wenn er wüsste, dass unser Gesprächsthema alles andere als das sein würde, was er erwartete. So vorsichtig ich mich dem Thema auch annäherte, es würde ihn bestimmt fassungslos machen.

Die Art, wie er mich angeschaut hatte, bevor ich ihn auf dem Parkplatz zurückgelassen hatte, sagte mir, dass er wirklich dachte, ich würde mich um die Erpressung kümmern. Er hatte Vertrauen in mich. Aber damit lag er falsch.

Ich konnte nicht so sein, wie er mich sah. Das hatte ich nicht in mir.

Ich würde Cayce jedes Mal im Stich lassen. Das wusste ich jetzt. Ich war in der vorigen Nacht nicht ehrlich zu mir gewesen. Cayce und ich hatten auf keinen Fall eine Chance. Er dachte, ich wäre jemand, der ich nicht war. Oder er dachte, ich könnte jemand sein, der ich nie werden würde.

Ich stieg aus dem Bett und ging duschen. Ich musste mich

so hübsch wie möglich machen, wenn ich ein Wunder vollbringen wollte.

Vielleicht könnte ich Cayce dazu bringen, zu Mantabo Industries zurückzukehren. Vielleicht könnte ich ihn zurücklocken. Ich hatte ihm nicht gesagt, dass ich dort arbeitete. Wenn er wüsste, dass ich es tat, würde er vielleicht zurückkommen, damit wir zusammen dort arbeiten konnten.

Als das Wasser auf mich prasselte, wusste ich, dass die Wahrscheinlichkeit dafür gering war. Aber ich musste es trotzdem versuchen. Das Leben meiner Familie stand auf dem Spiel. Ich durfte nicht scheitern.

Wenn ich ihm sagte, womit Niko mir drohte, würde er mir vielleicht helfen. Aber andererseits könnte er einfach zur Polizei gehen und meine Familie würde entweder entführt oder tot aufgefunden werden, bevor überhaupt jemand zu ihr gelangen konnte, um sie zu beschützen.

Ich musste das für mich behalten, besonders jetzt, da ich wusste, dass Cayce jemand war, der auf Konfrontation ging. Wenn er anfing, Niko gegenüber eigene Drohungen auszusprechen, nachdem ich ihm die ganze Wahrheit gesagt hatte, würden meine Familie und ich den Preis dafür bezahlen.

*Es muss einen Weg geben, wie ich das schaffen kann.*

Ich zerbrach mir die ganze Zeit den Kopf, während ich mich fertig machte, um Cayce zu besuchen. Aber ich hatte keine gute Idee. Es gab keinen guten Weg, Cayce zu sagen, dass ich ihm nicht helfen konnte. Er würde wütend auf mich sein, egal was ich sagte. Und er würde verletzt sein.

Kurz bevor ich aus der Tür ging, schrieb ich ihm wie versprochen eine SMS.

**- Ich komme gleich, wenn das für dich in Ordnung ist. -**

Er schrieb schnell zurück.

**- Ich öffne jetzt das Tor. Ich habe alles für einen Brunch vorbereitet, also iss nichts. Ich werde dich**

**den ganzen Tag lang verwöhnen. Und hoffentlich
auch die ganze Nacht. Bis gleich. -**

Jede Frau hätte sich glücklich schätzen können, Cayce
Duran zu haben. Und er wollte mich.

Aber er würde mich nicht mehr wollen, nachdem er gehört
hatte, was ich ihm zu sagen hatte.

# KAPITEL EINUNDZWANZIG

CAYCE

Der Timer des Backofens ging in dem Moment los, als es an der Tür klingelte. Ich holte Handschuhe aus der Schublade neben dem Ofen, zog die Spinatteilchen heraus und legte sie auf ein Gitter, bevor ich zur Tür eilte.

Ich wusste, dass es Zurie sein musste, also öffnete ich die Tür mit einem breiten Grinsen. Sie stand da und sah mich mit einem sanften Lächeln auf ihrem blassen Gesicht an. „Hier riecht es fantastisch, Cayce."

Ich nahm ihre Hand und führte sie ins Haus. „Komm rein. Ich habe alle möglichen Leckereien für uns vorbereitet. Ich dachte, wir könnten uns eine Serie auf Netflix aussuchen und den ganzen Tag über anschauen." Ich zog sie in meine Arme und schloss die Tür. „Die Vorstellung, mit dir in den Armen auf der Couch zu liegen, fühlt sich verdammt gut an."

„Für mich klingt es auch gut", sagte sie, aber ihre Augen wirkten ein wenig betrübt.

„Du siehst traurig aus, Zurie." Ich hasste es, sie so zu sehen.

„Ja. Lass uns essen. Ich habe dir viel zu sagen."

„Ich bin bereit, dir zuzuhören." Ich nahm sie mit in die Küche und zeigte ihr, was ich vorbereitet hatte. „Nimm dir einen Teller und belade ihn mit allem, was du magst." Während sie sich einen Teller holte, ging ich zum Kühlschrank, um uns Mimosas zu machen. „Möchtest du Ananassaft oder Orangensaft in deinem Mimosa, Baby?"

„Es war kein Scherz, als du gesagt hast, dass du mich verwöhnen willst, oder?" Sie legte zuerst ein Spinatteilchen auf ihren Teller.

„Ich mache nie Scherze über so etwas." Ich zeigte auf die Erdbeertörtchen. „Meine Mini-Törtchen musst du auch probieren."

„Gerne." Sie nahm sich eines. „Und mach meinen Mimosa bitte mit Ananassaft. Das klingt wirklich lecker."

„So mache ich meinen auch. Kluge Köpfe denken gleich."

„Ist das Quiche?", fragte sie, als sie etwas auf ihren Teller legte.

„Ja."

„Wow, du weißt, wie man Quiche macht? Ich bin beeindruckt."

„Vor ungefähr einem Jahr habe ich eine Woche bei einem meiner Cousins in Austin verbracht. Er ist Koch und hat mir einiges beigebracht." Ich brachte die Getränke zum Tisch und stellte sie ab, bevor ich mir einen Teller holte.

Sie nahm Platz. „Du hast das von einem echten Koch gelernt? Das ist noch beeindruckender."

Nachdem ich meinen Teller gefüllt hatte, setzte ich mich ihr gegenüber an den kleinen Tisch für zwei Personen. In ihrer Nähe zu sein machte mich glücklich. „Zurie, ich bin wirklich froh, dass du hier bist."

Ihre Augen waren sanft, als sie mich mit einem Lächeln im Gesicht ansah. „Ich auch, Cayce." Dann verblasste das Lächeln und sie wandte den Blick ab. „Also, ich möchte dir etwas über mich erzählen. Mein wahres Ich. Ich arbeite in der Forschungsabteilung von Mantabo Industries."

Schockiert sah ich sie an. Ich wusste überhaupt nicht, was ich davon halten sollte. „Du arbeitest dort? Wie lange schon? Ich meine, ich habe dich dort nie gesehen. Wenn ich dich gesehen hätte, würde ich mich bestimmt daran erinnern."

„Ein paar Jahre. In der Forschungsabteilung haben wir nicht viele Möglichkeiten, mit anderen Mitarbeitern in Kontakt zu kommen. Ich habe dich auch nie dort gesehen." Sie biss in das Spinatteilchen. „Spinat, hm?"

„Ja." Ich hatte so viele Fragen an sie. „War das dein erster Job, als du nach Brownsville gekommen bist?"

„Ich bin extra für den Job hergezogen. Ich wurde online dafür ausgewählt und Mantabo hat den Flug bezahlt. Sie haben mir einen Starterbonus gegeben, mit dem ich eine Wohnung mieten und sogar ein Auto kaufen konnte." Als sie an dem Mimosa nippte, weiteten sich ihre Augen. „Verdammt, Cayce, ist alles, was du machst, so gut?"

„Ich gebe mein Bestes." Da ich mich auf keinen Streit einlassen wollte, stellte ich sicher, dass ich meine Fragen vorsichtig formulierte. „Ich weiß nicht genau, wie ich das fragen soll, also sei bitte nicht beleidigt, aber wie lange beschäftigt dich Niko schon als Erpresserin?"

„Nur bei dir, Cayce." Sie sah mich mit ehrlichen Augen an. „Er hat mich für die Drecksarbeit ausgewählt, weil er dachte, mein Aussehen würde mir helfen, leichter an dich heranzukommen. Das hat er mir zumindest erzählt."

„Damit hat er nicht unrecht." Ich hasste es irgendwie, dass Niko mich so gut kannte. „Er ist ein echter Bastard. Wie viel hat er dir bezahlt?"

„Nun, er hat mir noch nichts bezahlt. Ich habe dich und deine Brüder bisher nicht dazu gebracht, wieder für ihn zu arbeiten, also ist der Job noch nicht erledigt. Aber er hat mir einen Aktenkoffer gezeigt, der bis zum Rand mit Hundert-Dollar-Scheinen gefüllt war." Sie brachte das Erdbeertörtchen an ihre Lippen und betrachtete es. „Ist da Frischkäse drin?"

„Ja. Ich mache meinen eigenen Frischkäse. Ich will

unbedingt wissen, was du davon hältst." Ich beobachtete, wie sie hineinbiss, und als sie die Augen schloss und lächelte, wusste ich, dass sie es liebte.

„Ich hatte keine Ahnung, dass man selbst Frischkäse herstellen kann. Das ist das Beste, was ich in meinem ganzen Leben gegessen habe."

„Kochst du?", fragte ich, als ich mich meinem Teller zuwandte.

„Ich hatte nie genug Geld, um teure Produkte zum Kochen zu kaufen. Und ich habe nicht immer die passenden Zutaten."

„Aber solltest du jetzt nicht gutes Geld verdienen, Zurie? Ich meine, warum hättest du sonst dein Zuhause verlassen, um hierherzukommen?"

„Ich verdiene ziemlich gut. Den Großteil schicke ich aber nach Hause zu meiner Mutter. Sie kümmert sich um meine behinderte Schwester. Ich bezahle meine Rechnungen, kaufe mir etwas zu essen und schicke den Rest nach Hause. Aber egal wieviel ich Mom schicke – es reicht nicht aus, um ihnen ein gutes Leben zu ermöglichen. Ich meine, es ist besser als vor meinem Job, aber nicht viel." Sie seufzte. „Und hör auf, mich anzusehen, als hättest du Mitleid mit mir. Ich mag es nicht, bemitleidet zu werden."

„Ich bemitleide dich nicht. Ich finde dich bewundernswert. Aber ich bin verwirrt. Warum sollte jemand, der so selbstlos ist, das tun, was du mir angetan hast? Das ergibt keinen Sinn."

„Ja, ich weiß. Ich habe noch nie so schreckliche Dinge getan. Aber meine Mutter und meine Schwester müssen beide operiert werden und brauchen zusätzliche Unterstützung. Die Art und Weise, wie Niko den Job präsentierte, ließ mich denken, dass mein Anteil daran weniger schlimm sein würde. Ich dachte, ich würde dir ein paar Geheimnisse entlocken und sie ihm mitteilen und er würde den Rest machen." Sie trank einen Schluck und wischte sich den Schweiß von der Stirn.

„Das zuzugeben fällt mir nicht leicht. Aber ich möchte dir die Wahrheit sagen."

„Ich versuche mein Bestes, um aufgeschlossen zu bleiben. Sicher, manches beunruhigt mich ein wenig. Aber du kanntest mich nicht, als du sein Angebot angenommen hast. Soweit du wusstest, hätte ich ein genauso großer Bastard wie Niko sein können." Ich wollte, dass sie mich in alles einweihte. Aber ich wollte vor allem, dass sie mir versprach, nichts mehr zu tun, um mich noch weiter in die Falle zu locken.

„Das stimmt. Ich habe nicht viel darüber nachgedacht, wem ich das antue. Und als ich dich sah, wusste ich, dass es nicht einfach werden würde. Nach unserer gemeinsamen Nacht wurde es extrem schwierig. Aber es war mein Job. Also habe ich trotzdem getan, was er verlangt hat."

„Du hast alles getan und er hat dir trotzdem keinen einzigen Cent gegeben?", fragte ich, denn das klang einfach lächerlich.

„Ja." Kopfschüttelnd fuhr sie fort: „Er gibt mir nichts, bis ich dich und deine Brüder zu ihm zurückbringe."

„Was für Operationen braucht deine Familie?" Jetzt, da ich wusste, dass sie es aus diesem Grund getan hatte, verstand ich sie besser.

„Meine Schwester braucht eine Hüftoperation. Möglicherweise auch eine künstliche Hüfte, wenn die Operation nicht hilft. Und sie braucht einen persönlichen Betreuer – ihre Pflege ist zu viel für meine Mutter. Außerdem leidet Mom an grauem Star. Bis Niko mir das Geld angeboten hat, hatte ich keine Ahnung, wie ich jemals genug verdienen sollte, um für alles zu bezahlen. Die Kataraktoperation würde Mom ein paar Wochen außer Gefecht setzen und meine Schwester kann sich nicht selbst versorgen."

„Zurie, ich kann dir heute noch alles Geld geben, das du brauchst. Das ist überhaupt kein Problem. Du musst nicht tun, was Niko will." Erleichterung breitete sich in mir aus. „Wir haben einen Ausweg aus diesem Chaos gefunden."

Der grimmige Ausdruck auf Zuries Gesicht verhieß nichts

Gutes. „Glaubst du wirklich, dass Niko Armstrong mich einfach so gehen lässt?"

„Hat er eine Wahl?" Ich sah keinen Grund, warum sie den Idioten nicht im Stich lassen konnte. „Du kannst den Job bei ihm kündigen und für uns arbeiten. Wir brauchen auch Forscher für das, was wir vorhaben."

„Ich wünschte, es wäre so einfach, Cayce. Wirklich." Sie legte ihre Gabel hin und beugte sich vor. „Wenn du zu Mantabo zurückkommen würdest, könnten wir vielleicht einen Weg finden. Wenn wir beide in seinem Unternehmen wären, könnten wir Niko vielleicht von seinem Thron stürzen. Er hat so viel Macht, dass sie ihm zu Kopf steigt. Er braucht jemanden, der ihn auf den Boden der Tatsachen zurückholt."

„So mächtig ist er nicht, Zurie." Sie traute dem Mann mehr zu, als er tun konnte.

„Glaubst du?" Sie schüttelte den Kopf. „Er hat überall Augen. Jemand hat uns letzte Nacht zusammen gesehen und ihm davon erzählt. Er hat mich heute Morgen angerufen und nach Informationen ausgefragt."

„Was hast du getan?"

„Ich habe gelogen, dass ich versuche, dich dazu zu bringen, wieder für ihn zu arbeiten, so wie er es will. Aber er hat mich ertappt und mir gesagt, dass er es besser wüsste."

Die Tatsache, dass sie so leicht lügen konnte, war besorgniserregend. „Zurie, lügst du erst seit Kurzem? Oder war das schon immer ein Teil deiner Persönlichkeit?" Ich wusste es besser, als ihr jetzt ganz zu glauben.

„Erst seit Kurzem. Ich war früher nie eine Lügnerin. Tatsächlich bin ich normalerweise ehrlicher als die meisten Menschen." Das würde jeder Lügner sagen.

„Würde es dir helfen, wenn ich zurückkomme?" Ich wusste nicht, warum ich das gefragt hatte. Ich konnte nicht zurück.

„Ja, sehr", sagte sie hoffnungsvoll. „Niko hat mir heute Morgen gesagt, wenn ich dich dazu bringen könnte, am

Montag zurückzukommen, würde er dir eine Woche Zeit geben, um auch deine Brüder zurückzuholen. Sobald ihr alle wieder da seid, wird er aufhören, mich unter Druck zu setzen. Und er wird mir das Geld geben. Aber es ist mir ehrlich gesagt egal, ob ich es bekomme oder nicht. Ich will nur nicht länger in seiner Gewalt sein."

Ich legte meine Hand auf ihre und war mir nicht sicher, ob ich das Richtige tat oder nicht. „Zurie, ich verspreche, darüber nachzudenken. Wenn es dir hilft, mache ich es vielleicht. Aber nur für kurze Zeit. Du hast vielleicht recht. Wenn wir beide in seinem Unternehmen wären, könnten wir genug Beweise sammeln, um ihn anzuzeigen. Wenn er so weit geht, ist diese Erpressung auf keinen Fall die einzige Straftat, die er begangen hat." Meine Rückkehr würde allerdings nur einen Teil des Problems lösen. „Wir müssten uns beeilen. Ich glaube nicht, dass ich meine Brüder dazu bringen kann, zurückzukommen, selbst wenn *ich* es tue."

„Wenn du zurückkommst, verschaffst du mir eine Woche Zeit. Ich nehme alles, was ich bekommen kann." Sie trank den Rest des Mimosa und stellte das leere Glas auf den Tisch. „Mit dir zu arbeiten statt gegen dich wäre großartig."

Ich konnte keine voreiligen Entscheidungen treffen. „Heute ist Samstag. Ich gebe dir meine Antwort bis Sonntagabend. Oder spätestens bis Montagmorgen. Aber ich warne dich, Zurie. Es ist möglicherweise nicht die Antwort, die du dir wünschst. Ich möchte nicht, dass du dir allzu große Hoffnungen machst. Es gibt viel zu bedenken und ich bin niemand, der Entscheidungen leichtfertig trifft. Außerdem ist die Sache mit der mangelnden Ehrlichkeit ein Problem zwischen uns."

Sie schien es zu verstehen. „Okay. Ich werde dich nicht mehr drängen. Du kennst den Deal, also lasse ich dich darüber nachdenken und eine Entscheidung treffen." Sie nickte und holte tief Luft, bevor sie lächelte. Es war schön zu sehen, wie die Sorgenfalten verschwanden. „Bist du bereit für die Netflix-Serie?“

„Ich bin bereit.“

*Aber bin ich auch bereit, alles zu glauben, was sie mir gerade erzählt hat?*

# KAPITEL ZWEIUNDZWANZIG

## ZURIE

Als ich am nächsten Morgen in meinem Bett aufwachte, spürte ich, dass ein Lächeln meine Lippen umspielte. Den Tag und den größten Teil der Nacht mit Cayce zu verbringen war sehr schön gewesen. Obwohl ich ihm nicht jedes Detail gestanden hatte, hatte ich ihm verdammt viel erzählt. Und er hatte eingewilligt, darüber nachzudenken, wieder für Niko zu arbeiten.

Ich war nicht so gut gelaunt, weil ich ihn endlich dazu gebracht hatte, zumindest in Erwägung zu ziehen, was Niko wollte. Das war es gar nicht. Tatsächlich störte mich dieser Teil irgendwie.

Wenn er wieder bei Mantabo arbeitete, würde mir das etwas Zeit verschaffen, um herauszufinden, wie ich meine Mutter und meine Schwester an einen sicheren Ort bringen konnte. Irgendwohin, wo Nikos Handlanger sie nicht erreichten konnten. Aber mir gefiel nicht, dass Cayce es nur meinetwegen tat.

Manipulation war nicht mein Ding. Und ich hatte nicht versucht, ihn zu manipulieren, indem ich ihm mehr über mein

Leben erzählte. Aber offenbar hatte das, was ich gesagt hatte, ihn dazu gebracht, etwas zu tun, was er gar nicht tun wollte, nur um mir einen Gefallen zu tun.

Der Grund, warum ich mich so glücklich fühlte, war, dass ich Zeit mit Cayce verbracht und festgestellt hatte, dass ich ihn wirklich mochte. Er war nicht nur ein großartiger Koch, sondern großartig in allem, was er tat. Auch als er mich kurz vor unserem gemeinsamen Mittagsschlaf massiert hatte.

Wir hatten uns geküsst und gestreichelt, mehr nicht. Weder er noch ich waren nur an Sex interessiert. Der Sex war spektakulär, aber da war noch mehr. Und ich war sehr glücklich darüber.

Heute war Sonntag, der Tag, an dem ich meine Hausarbeit erledigte. Also stand ich auf und schaltete die Waschmaschine ein. Dann duschte ich, damit ich mit meinem wöchentlichen Lebensmitteleinkauf weitermachen konnte. Das dauerte immer eine Weile. Es war nicht leicht, mit einem so geringen Budget einzukaufen, weil ich immer erst die besten Angebote suchen musste.

Als ich die Regale des Supermarkts absuchte, nahm ich die billigste Dose Thunfisch, die ich finden konnte. Plötzlich hörte ich hinter mir eine vertraute Männerstimme. „Nimm Albacore."

Als ich mich umdrehte, sah ich, wie mein ehemaliger Verlobter einen Einkaufswagen schob, während er auf mich zukam. „Reece, wie schön, dich zu sehen." Ich umarmte ihn und er küsste meine Wange.

„Ich freue mich auch, Zurie." Er strich mit seinen Fingern durch meine Haare. „Werde ich mich jemals daran gewöhnen, dich mit silbernen Haaren zu sehen, statt deiner dunklen Naturfarbe?"

„Ich weiß nicht." Ich trat einen Schritt zurück und betrachtete ihn. „Du siehst gesund aus. Und du bist braun geworden. Warst du auf der Yacht?"

„Ja. Ein paar meiner Freunde und ich sind letzte Woche

mit der Yacht nach Cabo zu einem Angelturnier gesegelt. Wir haben nicht daran teilgenommen, sondern nur an den Feierlichkeiten. Es hat Spaß gemacht, einfach in der Sonne zu liegen."

Ich zog eine Augenbraue hoch und fragte: „Hast du neue Verehrerinnen gefunden, während du unterwegs warst?"

„Komm schon, Zurie. Du weißt, dass mein Herz immer noch dir gehört", sagte er mit einem sexy Grinsen.

„Oh, Reece, lass das." Ich wusste, dass seine Gefühle für mich nicht verschwunden waren. Aber eine einseitige Beziehung war für niemanden gesund.

Er blickte in meinen Einkaufswagen. „Zurie, lade alles ein, was du willst. Ich bezahle. Lege das billige Zeug zurück und kaufe dir etwas Richtiges zu essen."

„Das kann ich nicht annehmen, Reece, und das weißt du auch." Ich war niemand, der andere ausnutzte, nur weil ich ihnen wichtig war.

„Dann lass mich dich heute wenigstens zum Mittagessen einladen. Wo du willst. Und ich akzeptiere kein Nein als Antwort, also versuche es nicht einmal." Seine gerunzelte Stirn verriet mir, dass er es ernst meinte.

Ich lächelte. „Das Mittagessen nehme ich an. Danke. Ich bin hier sowieso fast fertig. Wo sollen wir uns treffen?" Ich warf eine Packung Cracker in den Wagen und beendete meinen Einkauf.

„Willst du nicht mit mir fahren?", fragte er schmollend.

„Ich muss zuerst meine Einkäufe nach Hause bringen und alles dort verstauen. Dann treffe ich dich."

„Ich habe dir gesagt, dass *du* dir ein Restaurant aussuchen kannst. Also sag mir, wo ich *dich* treffen soll."

„Chinesisch klingt gut. Was denkst du?" Ich ging zur Kasse und er folgte mir.

„Das finde ich auch." Er stieß mit seiner Schulter gegen meine. „Also Kung Chow? Ich erinnere mich, dass es dir dort gefallen hat."

„Ja, Kung Chow." Es war schön, mit jemandem zusammen zu sein, der mich kannte. Da ich schon lange meine Freunde nicht mehr gesehen hatte, hatte ich vergessen, wie schön und beruhigend es sein konnte, bei jemandem zu sein, mit dem man eine gemeinsame Vergangenheit hatte. „Treffen wir uns in dreißig Minuten dort?"

„Ich werde da sein." Er küsste wieder meine Wange. „Ich bin froh, dass wir Zeit zusammen verbringen. Ich habe dich vermisst."

„Ich dich auch." Reece bedeutete mir immer noch viel, auch wenn ich nicht in ihn verliebt war. „Bis gleich."

Dreißig Minuten später parkte ich neben Reece' BMW und ging hinein. Er saß bereits an einem Tisch. „Hast du schon bestellt?", fragte ich, als ich mich zu ihm setzte.

„Ich habe Frühlingsrollen bestellt und den grünen Tee, den du so liebst." Er lächelte mich an. „Ich bin wirklich froh, dass du gekommen bist, Zurie. Ich habe in letzter Zeit oft an dich gedacht."

„Bevor du weitermachst, sollte ich dir sagen, dass ich vielleicht jemanden kennengelernt habe." Ich wollte Reece nicht in die Irre führen.

Sein Lächeln verschwand. „Verdammt. Aber was meinst du damit, dass du *vielleicht* jemanden kennengelernt hast?"

„Es ist kompliziert." Ich hatte sonst niemanden, mit dem ich darüber reden konnte. Also dachte ich, dass Reece die sicherste Wahl sein könnte, und fuhr fort: „Weißt du, mein Chef, Niko Armstrong, ist wütend, weil einige Angestellte – die Duran-Brüder – bei Mantabo gekündigt haben. Sie haben dort Waffen entwickelt. Niko will sie zurückhaben und hat mich in diese Sache hineingezogen."

„Und wie hat er das gemacht?"

„Nun, er hat mich benutzt, um an den ältesten der Brüder, Cayce, heranzukommen. Und ich habe es geschafft." Ich würde ihm jedoch nicht die schlimmen Details erzählen. „Er ist der Mann, von dem ich rede. Aber es ist schwierig, weil ich auf

Nikos Seite stehe. Es gibt Dinge, die Cayce herausfinden könnte. Sie könnten ihn dazu bringen, mir sofort den Laufpass zu geben. Alles ist in der Schwebe und ich bin mir nicht sicher, ob sich zwischen uns etwas entwickelt."

„Ich habe immer noch den Verlobungsring, Zurie." Seine blauen Augen trübten sich. „Bei mir müsstest du dir nicht solche Gedanken machen, weißt du. Uns steht nichts im Weg und es gibt keine Geheimnisse zwischen uns. Wir könnten sofort zu dem zurückkehren, was wir waren. Und du könntest diesen Job kündigen. Dann könnte dich dein Chef nicht mehr benutzen."

Das war schon immer Reece' Wunsch gewesen – er hatte gewollt, dass ich einfach zu Hause blieb. „Ich weiß, dass du dir eine Frau wünschst, die zu Hause bleibt, die Kinder großzieht und immer bereit ist, dich auf deinen Reisen zu begleiten. Aber das werde ich nie sein, Reece."

„Du führst also lieber ein Leben, bei dem du dich ständig fragst, wann die nächste Hiobsbotschaft kommt? Du willst lieber eine Beziehung mit einem Mann haben, der vielleicht von deinen und Nikos Intrigen erfährt und dich fallen lässt? Warum willst du das, Zurie? Warum sollte irgendjemand so etwas wollen?"

„Ich weiß, dass ich seltsam bin. Ich meine, wer würde nicht gerne einen so wundervollen Mann wie dich heiraten und Babys bekommen? Wer würde nicht in der Villa auf deinem prächtigen Anwesen bleiben wollen? Als ich bei dir war, habe ich mich immer gut versorgt gefühlt."

„Genau das wollte ich auch." Er grinste mich an. „Ich will gut für dich sorgen."

„Aber ich will nicht versorgt werden. Nicht so. Nicht komplett." Ich hatte es ihm nie ganz klar machen können. „Du verdienst jemanden, der das Gleiche will wie du."

„Aber ich will dich", sagte er mit einem schiefen Grinsen. „Und es hört sich so an, als ob du überfordert bist. Ich kann sehen, dass du es nicht aussprechen willst, aber es klingt, als würde dein Chef dich dazu zwingen, diesen Kerl zu erpressen."

*Verdammt, er ist gut.*

Reece kannte mich. Vielleicht zu gut. „Lass uns nicht darüber reden." Ich hatte den Eindruck, dass Niko mich ständig im Auge behielt. „Ich will nicht, dass ihm irgendjemand verrät, dass ich über seine privaten Angelegenheiten rede." Ich machte mir immer noch Sorgen um meine Familie und war nicht sicher, ob ich es mir leisten konnte, Niko zu reizen.

„Ich habe das Gefühl, dass du in Gefahr bist, Zurie. Vielleicht solltest du bei mir wohnen, bis sich die Lage entspannt hat", bot er an. „Du musst nicht in meinem Schlafzimmer übernachten. Außer du willst es." Er lachte leise, aber ich wusste, dass er es ernst meinte.

„Ich bin nicht in Gefahr." Ich fühlte mich sicher. Viel sicherer als meine Mutter und meine Schwester. „Trotzdem vielen Dank für das Angebot. Das ist sehr nett von dir."

„Ich möchte, dass du mich über alles auf dem Laufenden hältst, Zurie. Ich mache mir Sorgen um dich – auch wenn du dir keine Sorgen um dich zu machen scheinst. Du bist wertvoll, weißt du."

Ich wusste, dass meine Familie mich wertschätzte. Ich war die Einzige, die für sie da war. „Reece, du bist der süßeste Mann, den ich kenne. Und ich bin froh, dich in meinem Leben zu haben. Ich halte dich auf dem Laufenden." Er könnte sich sogar als nützlich erweisen, wenn es darum ging, meine Familie an einen sicheren Ort zu bringen. Ich griff über den Tisch und er nahm meine Hand, als wir uns in die Augen sahen. „Du wirst immer einen Platz in meinem Herzen haben. Ich möchte, dass du das weißt."

„Du hältst mein Herz in deinen Händen, Zurie. Aber das weißt du schon. Du musst nur ein Wort sagen und wir sind wieder da, wo wir aufgehört haben. Wir standen einen Monat vor unserer Hochzeit. Ich dachte ehrlich, du hättest einfach kalte Füße bekommen. Ich dachte, du kommst zurück. Ich fragte mich immer wieder, was ich falsch gemacht hatte. Ich habe dich mit ganzem Herzen geliebt. Ich habe dir alles gegeben und hätte dir noch mehr gegeben …"

„Ich weiß. Reece, du hast nichts falsch gemacht. Es lag nicht an dir, sondern an mir." Das meinte ich ernst.

„Manchmal habe ich es bereut, dich verlassen zu haben. Ich möchte, dass du das weißt. Du hast mir das Leben leicht gemacht. Du hast mich verwöhnt. Nicht jeder Tag war einfach, seit ich dich verlassen habe. Ich habe mich aber daran gewöhnt. Mein Leben wurde wieder so, wie es gewesen war, bevor ich dich kennengelernt hatte."

„Siehst du, das gefällt mir nicht. Ich mag es nicht, dass du so leben musst, Zurie. Ich habe dir gesagt, dass du das Auto, das ich dir gegeben habe, behalten kannst, aber du hast mich stattdessen in deinem kleinen Toyota verlassen. Ich habe versucht, ihn zu verkaufen, aber du wolltest es nicht. Das wirkt, als ob du nie vorhattest, unsere Hochzeit durchzuziehen."

„Das ist nicht wahr. Ich hatte vor, dich zu heiraten. Aber ich hatte das Gefühl, dass ich nicht das sein konnte, was du von einer Frau wolltest, also habe ich sie abgesagt." Mir wurde klar, dass dieses Treffen eine schlechte Idee gewesen war. „Ich danke dir dafür, dass du mich zum Mittagessen eingeladen hast, Reece. Aber ich muss jetzt gehen."

„Bitte nicht", flehte er.

„Wir reden bald weiter. Ich verspreche, dich auf dem Laufenden zu halten." Ich ging zu ihm, beugte mich vor und küsste seine Wange. „Ich liebe dich."

Er griff nach meiner Hand und wollte offensichtlich nicht, dass ich gehe. „Ich liebe dich auch, Baby. Bis bald."

Ich nickte und verließ ihn in dem Wissen, dass es besser so war.

# KAPITEL DREIUNDZWANZIG

## CAYCE

Als es Mittag wurde, bekam ich Heißhunger auf chinesisches Essen und fuhr zu meinem Lieblingsrestaurant Kung Chow. Ich hätte Zurie eingeladen, mit mir zu kommen, aber sie hatte mir am Vorabend, kurz bevor sie meine Wohnung verlassen hatte, gesagt, dass sie sonntags immer ihre Hausarbeit erledigte, sodass sie nicht verfügbar wäre. Trotzdem war ich in großartiger Stimmung.

Unser gemeinsamer Tag war großartig verlaufen und sie war bis Mitternacht geblieben, bevor sie nach Hause gefahren war. Obwohl wir keinen Sex gehabt hatten, fühlte es sich gut an, uns auf andere Weise näherzukommen. Sie hatte mir viel über sich erzählt und darüber, wie es ihr mit all dem Mist ging, in den Niko sie hineingezogen hatte.

Ich war mir jedoch immer noch nicht sicher, was ich in dieser Situation tun sollte. Ich hatte nicht mehr viel Zeit, um mich zu entscheiden. Sie hatte gesagt, dass Niko mich am Montag in seinem Unternehmen sehen wollte und ich eine Woche haben würde, um auch meine Brüder zur Rückkehr zu bewegen.

Wenn ich zurückgehen würde, wäre es nicht für lange und nur für Zurie. Ich wusste also nicht, ob ich es tun sollte oder nicht. Ich hatte das Gefühl, ihr vertrauen zu können. Aber es gab immer noch etwas, das mir sagte, dass sie nicht ganz ehrlich zu mir war. Vielleicht hatte sie mir wichtige Details verschwiegen. Auf jeden Fall fiel mir diese Entscheidung nicht leicht.

Ein voller Magen würde mir bestimmt beim Nachdenken helfen. Als ich das Restaurant betrat, überlegte ich bereits, was ich essen wollte. Dann sah ich einen Hinterkopf mit langen silbernen Haaren.

*Zurie?*

Sie saß mit einem anderen Mann an einem kleinen Tisch. Die beiden unterhielten sich. Eifersucht regte sich in mir wie eine wütende Klapperschlange. *Was zum Teufel soll das?*

„Sie können sich hinsetzen, wo Sie wollen, Sir", ließ mich die Kellnerin wissen.

„Danke." Ich setzte mich an einen Tisch, der sich außerhalb von Zuries Sichtlinie befand, aber nah genug war, um sie belauschen zu können.

„Reece, du bist der süßeste Mann, den ich kenne", sagte Zurie. „Und ich bin froh, dich in meinem Leben zu haben. Ich halte dich auf dem Laufenden." Ich sah zu, wie sie über den Tisch griff und seine Hand nahm. „Du wirst immer einen Platz in meinem Herzen haben. Ich möchte, dass du das weißt."

Ich ballte meine Hände zu Fäusten und wollte aufstehen und sie zur Rede stellen. Aber ich saß still da und belauschte ihr viel zu liebevolles Gespräch. Ich hörte, wie der Mann ihre Hochzeit erwähnte und die Art, wie sie gegangen war.

*Also ist dieser Kerl ihr ehemaliger Verlobter?*

Sie sprach so süß mit ihm und sagte, dass sie es manchmal bereute, gegangen zu sein. Ich biss die Zähne so fest zusammen, dass sie fast zersplitterten und lauschte weiter jedem ihrer Worte.

*Sein Name ist also Reece. Und sie bereut es, ihn verlassen zu haben.*

Ich hörte, wie der Kerl – Reece – das Auto erwähnte und dass er ihren klapprigen gebrauchten Toyota hatte verkaufen wollen. Ich wusste, dass sie ihn immer noch fuhr.

*Vielleicht wollte sie den Kerl gar nie heiraten. Es ergibt keinen Sinn, ihr Auto zu behalten, wenn er ihr etwas Besseres gegeben hat, es sei denn, sie hatte wirklich nicht vor, die Hochzeit durchzuziehen. Das beweist, dass sie von Natur aus betrügerisch ist.*

Ich sah zu, wie sie aufstand, um zu gehen, nachdem sie ihm gesagt hatte, dass sie wusste, dass sie niemals die Art von Frau sein konnte, die er wollte. Aber meinte sie das wirklich ernst?

*Ich wette, sie hat das Gefühl, dass er sie als die Lügnerin entlarvt hat, die sie wirklich ist, und kann es nicht ertragen.*

„Geh nicht", sagte er mit einem Wimmern in seiner Stimme.

*Verdammt, flehe sie nicht an. Sie ist es nicht wert.*

„Wir reden bald weiter. Ich verspreche dir, dich auf dem Laufenden zu halten." Sie ging zu ihm und küsste seine Wange. „Ich liebe dich."

*Was? Sie liebt ihn? Was zur Hölle soll das heißen?*

Er packte ihre Hand und wollte offensichtlich nicht, dass sie ging, als er sie mit traurigen Hundeaugen ansah. „Ich liebe dich auch, Baby. Bis bald."

*Er liebt sie immer noch, nachdem sie ihn verlassen hat? Obwohl sie behauptet hat, dass sie ihn heiraten würde, ohne es wirklich vorzuhaben? Was für ein Versager.*

Der arme Kerl musste unsterblich in sie verliebt sein. Aber bei mir war es noch nicht so weit gekommen – zumindest nicht ganz. Gott sei Dank. Jetzt wusste ich, dass ich mein Herz vor ihr schützen musste. Zurie war die hinterhältigste Person, die ich jemals getroffen hatte.

Ich beobachtete sie, als sie aus der Tür ging. Da ich überhaupt keinen Hunger mehr hatte, stand ich auf und folgte ihr, als sie zu ihrem Auto eilte. „Wirklich nett, Zurie."

Sie wirbelte herum. „Cayce!" Sie lächelte, als hätte sie nicht gerade einem anderen Mann ihre Liebe gestanden.

Ich ging auf sie zu, ergriff ihre Hand und zerrte sie zu meinem Truck. Ich wollte nicht zulassen, dass jemand hörte, was ich ihr zu sagen hatte. Und ich wollte nicht, dass der Mann, mit dem sie zusammen gewesen war, herauskam und sich in irgendeiner Weise einmischte. Was er vielleicht getan hätte, da er völlig besessen von ihr war.

„Du bist wirklich unglaublich, Zurie." Ich öffnete die Beifahrertür meines Trucks. „Steig ein. Wir müssen reden."

Sie stieg ein und sah ein wenig verwirrt aus. „Okay."

Ich setzte mich auf die Fahrerseite und starrte sie finster an. „Ich habe gehört, was du zu diesem Typen gesagt hast. Diesem Reece. Er weiß vielleicht noch nicht, was für ein Mensch du wirklich bist, aber ich habe es verdammt noch mal erkannt."

„Du verstehst das nicht …", sagte sie und versuchte, mich zu unterbrechen.

Aber ich ließ sie nicht ausreden. „Du hast den armen Kerl glauben lassen, dass du ihn heiraten willst. Aber das hattest du nie vor, oder? Sonst hättest du dein mieses kleines Auto aufgegeben. Das macht dich zu einer Lügnerin. Ich hätte wissen müssen, dass man dir nicht vertrauen kann. Ist irgendetwas, das du zu mir gesagt hast, überhaupt wahr gewesen?" Ich hielt meine Hand hoch, um sie aufzuhalten, bevor sie die Chance hatte, mir noch mehr Lügen zu erzählen. „Beantworte das nicht. Ich kann dir ohnehin nichts mehr glauben."

„Ich habe ihn nicht angelogen. Ich war immer sehr ehrlich zu ihm. Ich habe mein Auto behalten, weil ich nicht wusste, ob ich ihn heiraten würde. Das ist die Wahrheit. Er muss vergessen haben, wie ich ihm gesagt habe, dass ich mir nicht hundertprozentig sicher war, als ich seinen Ring annahm."

„Wow." Ich hatte keine Ahnung gehabt, was für eine

Schlampe sie war. „Also hast du den Verlobungsring dieses Kerls genommen, obwohl es dir nicht ernst mit ihm war?"

Sie zuckte zusammen, als hätte ich sie geschlagen. „Es war mir ernst – ich wäre ihm nie untreu gewesen. Ich war unsicher, was die Hochzeit anging, aber er hat mich dazu gedrängt, den Ring anzunehmen."

„Er sagte, du hättest ihn einen Monat vor der Hochzeit verlassen. Wie würdest du jemanden nennen, der eine Hochzeit mit einem Mann plant, ohne sich sicher zu sein, ob er das überhaupt will?"

„Okay, ich kann verstehen, dass ich nicht gut dabei wirke. Aber es gab keine großen Hochzeitspläne. Wir wollten nach Vegas fliegen und dort heiraten. Wir hatten nicht einmal ein Datum festgelegt. Aber eines Tages kam er mit einem Termin zu mir, den er festgelegt hatte, und ich sagte ihm genau diese Worte – wir werden sehen."

„Und damit war er einverstanden?" Damit wäre ich nie klargekommen.

„Reece ist jemand, der hört, was er hören will, egal welche Worte tatsächlich gesagt werden. Er sagte mir, dass er eine Frau wollte, die zu Hause bleibt und die Kinder großzieht. Ich sagte ihm, dass ich arbeiten wollte und noch nicht sicher war, ob ich überhaupt Kinder bekommen würde. Ich wollte auch nicht auf Abruf bereitstehen und mit ihm herumreisen, nur um dekorativ an seinem Arm zu hängen."

„Warum warst du dann mit ihm zusammen?"

„Weil er mich geliebt hat. Er hat sich um mich gekümmert und war immer freundlich zu mir. Ich wollte ihn nicht verletzen. Ich wollte ihn so lieben, wie er mich liebte. Ich habe so lange mit der Trennung gebraucht, weil er ein netter Kerl ist, der es nicht verdient, verletzt zu werden. Er hat sich die falsche Frau ausgesucht. Das war sein einziger Fehler", sagte sie seufzend. „Glaube mir, ich habe mich selbst dafür gehasst, dass ich ihm so lange falsche Hoffnungen gemacht hatte."

„Du hast dem Mann gerade gesagt, dass du ihn liebst. Ich

habe es selbst gehört." Ich konnte ihr überhaupt nichts mehr glauben.

„Weil ich ihn liebe."

„Das kann ich mir nicht vorstellen. Du hast ihn verlassen. Du hast ihn angelogen."

„Ich habe nicht gelogen. Er wusste die ganze Zeit, wie ich mich fühlte. Er entschied sich einfach, es zu ignorieren, aber ich habe es ihm viele Male gesagt. Ich liebte ihn, aber ich war nie in ihn verliebt."

„Das ergibt keinen Sinn." Ich wusste nicht einmal mehr, warum ich mit ihr redete.

„Ich weiß, dass es verrückt klingt. Wirklich. Aber so war es. Ich liebe Reece immer noch. Ich denke, das werde ich immer tun. Er ist ein netter Mensch. Es gibt keinen Grund, warum er mir nichts mehr bedeuten sollte. Aber wir haben keine gemeinsame Zukunft."

„Ich glaube auch nicht, dass wir eine gemeinsame Zukunft haben." Das musste sie jetzt wissen. Das musste ich auch wissen.

Sie nickte und sagte: „Vielleicht nicht. Ich stimme dir zu. Ich bin mir nicht sicher, ob es anders gelaufen wäre, wenn Niko mich nicht in diese Intrige gegen dich und deine Brüder hineingezogen hätte, aber die Kluft zwischen dir und mir könnte zu groß sein."

„Klingt, als würdest *du* mit *mir* Schluss machen." Das fand ich unglaublich.

„Ich würde nicht sagen, dass ich Schluss mache. Aber ich weiß nicht, ob wir diese Situation durchstehen können. Ich bin bereit, es zu versuchen. Aber ich bin mir nicht sicher, ob du es bist. Und ehrlich gesagt habe ich das Gefühl, mein Herz vor dir schützen zu müssen."

„Du musst dein Herz vor mir schützen?" Die Welt stand Kopf und ich hatte keine Ahnung, was passiert war.

„Ich könnte mich mit allem, was ich habe, in dich verlieben, Cayce. Also ja, ich muss mein Herz vor dir schützen.

Zurzeit." Ihre Brust hob sich, als sie seufzte. „Ich habe noch viel zu tun. Ich hatte eigentlich gar keine Zeit, mich mit Reece zu treffen. Also lasse ich dich jetzt gehen. Du musst nachdenken. Ich erwarte morgen deinen Anruf oder eine SMS mit deiner Antwort." Sie öffnete die Tür und stieg aus. Dann drehte sie sich wieder um und sah mich an.

„Das klingt vielleicht seltsam, aber ich möchte nicht, dass du nur meinetwegen zu Mantabo zurückkehrst. Es ist sehr wichtig für mich, dass du es tust. Das ist die Wahrheit. Aber es ist schmerzhaft zu denken, dass ich dich dazu überredet habe, etwas zu tun, das du nicht willst." Sie schloss die Tür und ließ mich fassungslos zurück.

*Was zum Teufel ist gerade passiert?*

# KAPITEL VIERUNDZWANZIG

## ZURIE

Cayce sah verwirrt aus, als ich die Tür seines Trucks schloss. Ich wusste, dass er genauso durcheinander war wie ich. Wir waren im Grunde Feinde und es war kaum zu glauben, dass wir eine gemeinsame Basis finden könnten. Ich hatte mir ein paar Stunden lang eingebildet, dass es anders sein könnte, aber jetzt sah ich, wie dumm das gewesen war.

Auch wenn ich versuchte, ehrlich zu sein, verstand ich, warum Cayce dachte, ich würde immer noch lügen. Schließlich hatte ich ihm viele Dinge verschwiegen.

Ich hatte Cayce nicht unter Kontrolle. Ihm zu erzählen, dass Niko meine Familie bedrohte, könnte ihn dazu verleiten, etwas zu tun, das ihn in Gefahr bringen würde.

Aber es war gut gewesen, Reece zu treffen. Ich konnte ihn dazu bringen, so mit der Situation umzugehen, wie ich es für richtig hielt. Jetzt hatte ich also einen Verbündeten. Aber ich hatte bemerkt, dass Cayce eifersüchtig auf Reece war. Also musste alles, was Reece und ich taten, vor Cayce geheim gehalten werden.

Ich wusste, dass ich unehrlich war, aber ich hatte keine

andere Wahl. Mit Reece über Kinder und die Zukunft, die er wollte, zu sprechen, hatte mir etwas klargemacht.

Ich hatte jetzt andere Dinge im Kopf. Wichtige Dinge. Lebensverändernde Dinge.

Der Druck, unter dem ich stand, würde vielleicht bald den Siedepunkt erreichen. Es war Zeit, mir darüber klarzuwerden, was eigentlich los war, bevor ich irgendwelche Pläne machte.

Zuerst fuhr ich zu einer Apotheke, um einen Schwangerschaftstest zu kaufen, da meine Periode immer noch nicht gekommen war. Ich wusste, dass Stress zum Ausbleiben der Periode führen konnte, also war ich mir nicht sicher, ob ich schwanger war. Aber ich musste es wissen, bevor ich irgendetwas anderes tat.

Ich betrat die Apotheke, in der kaum Kunden waren, und fragte die Frau hinter der Theke: „Gibt es zuverlässige Schwangerschaftstests, auch wenn man wahrscheinlich erst in der ersten oder zweiten Woche ist?"

Sie griff unter die Theke und zog eine Schachtel hervor. „Dieser hier sollte funktionieren. Möchten Sie ihn?"

„Ja." Ich war mir nicht sicher, wie ich empfinden sollte. Ich wollte keine negativen Gefühle darüber haben, ein Baby zu bekommen, wenn es bereits in mir war. Aber der Zeitpunkt war schrecklich und ich wusste nicht, wie der Vater – Cayce – darauf reagieren würde.

Die Apothekerin scannte die Schachtel ein. „Das macht fünfzehn Dollar fünfzig."

Das war nicht gut für mein Budget, aber es ließ sich nicht vermeiden. Ich reichte ihr meine Kreditkarte und nahm dann die Tüte, die sie mir gab. „Danke."

„Viel Glück", rief sie mir nach.

Ich nickte, als ich zu meinem Auto ging. Ich brauchte Glück, soviel war sicher.

Gerade als ich ins Auto stieg, klingelte mein Handy und ich sah, dass es Niko war. „Großartig." Ich berührte den Bildschirm und nahm den Anruf an. „Hallo."

„Sie waren gestern und heute bei Cayce. Ich erwarte gute Neuigkeiten."

„Ich habe noch keine. Er überlegt allerdings, am Montag wieder zur Arbeit zu kommen. Das ist immerhin etwas, oder?" Ich fuhr vom Parkplatz und dachte an die kleine Schachtel in der Tüte. *Was ist, wenn ich ein Baby von Cayce erwarte?*

„Soll das heißen, dass er tatsächlich erwägt, zurückzukommen?", fragte er zögernd.

„Ja, genau das habe ich gesagt." Als ich an einer roten Ampel hielt, sah ich auf die Tüte auf dem Beifahrersitz. *Wenn ich ein Baby bekomme, brauche ich ein sicheres Auto. Und einen Kindersitz. Das kann ich mir aber nicht leisten.*

„Dann kommt er besser zur Arbeit. Um Ihretwillen", sagte er drohend.

„Es würde mir nützen, ja." Wenn der Test positiv ausfiel, musste ich mir etwas einfallen lassen und eine Lösung für dieses Chaos finden. Der Stress, in den Niko mich versetzte, war nicht gut für die Schwangerschaft. Ich musste so schnell wie möglich dafür sorgen, dass er weniger wurde.

*Falls ich überhaupt schwanger bin.*

„Warum klingen Sie so abgelenkt?", fragte er irritiert.

„Ich habe viel zu tun und wenig Zeit", fuhr ich ihn an. „Ich kann nicht zaubern, Niko, und ich verstehe nicht, warum Sie sich nicht darauf konzentrieren, neue Leute zu finden, um die frei gewordenen Stellen zu besetzen. Das sollten Sie tun, anstatt zu versuchen, Männer zurückzubekommen, die gar nicht dort sein wollen. Ich meine, was erwarten Sie überhaupt von ihnen? Glauben Sie wirklich, dass sie unter Zwang zurückkommen und den gleichen großartigen Job machen wie früher?"

„Sie sind verdammt mutig, wenn Sie mit mir telefonieren. Aber irgendwann stehen wir uns von Angesicht zu Angesicht gegenüber, Zurie. Und Sie wissen, dass ich Ihnen das Leben zur Hölle machen kann. Also achten Sie auf Ihren Ton und darauf, was Sie zu mir sagen", knurrte er.

Ich verdrehte die Augen, weil er sich wie ein Tyrann anhörte. Aber in einer Sache hatte er recht – er konnte mir das Leben zur Hölle machen. „Entschuldigung", sagte ich mit falscher Ehrfurcht. Ich konnte nicht gebrauchen, dass er wütend auf mich war. „Cayce hat versprochen, mir seine Entscheidung spätestens morgen früh mitzuteilen. Ich werde Ihnen Bescheid sagen, sobald ich mehr weiß."

*Oder vielleicht ist es gar nicht nötig, Ihnen irgendetwas zu sagen.*

Da Reece bereit war, mir zu helfen, gab es jetzt Optionen, die ich vorher nicht gehabt hatte. Es war dumm gewesen, nicht gleich mit Reece darüber zu sprechen. Mein verdammter Stolz war mir in die Quere gekommen. Stolz und Angst hatten mich völlig durcheinandergebracht. Ich würde in Zukunft darauf achten müssen, dass das nicht mehr passierte.

„Selbst wenn Cayce zurückkommt, ist Ihr Auftrag noch nicht abgeschlossen. Sie müssen weiterhin Druck auf ihn ausüben, damit auch seine Brüder zurückkommen. Und zwar bis Ende nächster Woche. Also werden Sie nicht selbstgefällig. Sie haben noch viel zu tun, Zurie", erinnerte er mich. „Sie wissen, was sonst passiert."

„Ja, ich weiß." Ich hasste den Mann. Ich hasste ihn wirklich. So viel Hass hatte ich noch nie in meinem Leben empfunden. Schwanger oder nicht –ich wusste, dass ich etwas tun musste, um seine Herrschaft über mich und die Duran-Brüder zu beenden. „Wie gesagt, ich melde mich, sobald ich mehr weiß."

„Das will ich hoffen. Ich bin nicht zufrieden damit, wie langsam Sie vorankommen. Und wenn ich nicht glücklich bin, denke ich mir andere Möglichkeiten aus, Menschen zu motivieren. Vergessen Sie das nicht, Zurie." Mit diesem liebenswürdigen Hinweis beendete er den Anruf.

Sobald ich meine Wohnung erreichte, ging ich direkt zu meinem Computer. Ich war noch nie in meinem Leben so dankbar für Online-Banking gewesen wie an diesem Nachmittag. Die meisten Banken waren sonntags geschlossen, aber online konnte ich mein Girokonto kündigen und ein neues eröffnen. Eines mit einer anderen Kontonummer. Einer Kontonummer, auf die Niko Armstrong keinen Zugriff hatte.

Währenddessen trank ich eine Flasche Wasser, die ihre Wirkung nicht verfehlte. Bald nahm ich die Tüte aus der Apotheke mit ins Badezimmer. Als ich die Gebrauchsanweisung durchlas, stellte ich fest, dass ich etwa drei Minuten warten musste, um das Ergebnis zu erhalten.

Nachdem ich auf der Toilette gewesen war, legte ich den kleinen Stab neben das Waschbecken und wusch mir die Hände. Ich wagte nicht, ihn anzusehen. Ich wusste nicht einmal, was ich darauf sehen wollte.

Natürlich wäre es nicht das Beste für mich, schwanger zu sein. Vor allem mit Cayce' Baby. Ich hatte noch nie einen Grund zu der Annahme gehabt, dass ich schwanger sein könnte. Ich wusste nicht, wie ich mich fühlen oder auf das Ergebnis reagieren sollte, das ich gleich erhalten würde.

Ein negatives Ergebnis würde wohl eine glückliche Reaktion rechtfertigen und ein positives Ergebnis – für die meisten Frauen in meiner aktuellen Situation – eine traurige Reaktion. Allerdings dachte ich nicht, dass ich so reagieren würde.

Und ich hatte keine Ahnung, warum das so war.

Ich hatte nie viel darüber nachgedacht, Kinder zu haben. Während Reece und ich zusammen gewesen waren, hatte ich stets verhütet. Ich hatte damals keine Kinder gewollt. Aber jetzt begann ich zu denken, dass ich einfach keine Kinder mit Reece gewollt hatte.

Vielleicht hatte Cayce recht damit, dass ich Reece angelogen hatte. Vielleicht war ich nicht so ehrlich zu ihm gewesen, wie ich hätte sein sollen. Vielleicht hätte ich ihn schon lange vorher verlassen sollen.

Es war vielleicht nicht richtig, Reece um Hilfe zu bitten, aber ich würde es trotzdem tun. Er war der einzige Mensch, bei dem ich völlig darauf vertrauen konnte, dass er das tat, was ich für das Beste hielt.

Ich verließ das Badezimmer, um mein Handy zu holen. Ich würde mich nicht von dem Testergebnis daran hindern lassen, Pläne zu schmieden, wie ich Nikos Einfluss auf mich ein Ende setzen konnte. Also rief ich Reece an.

„Zurie, ich bin froh, dass du dich meldest", sagte er, als er ans Telefon ging.

„Reece, ich muss mit dir reden. Ich brauche einen großen Gefallen und du bist der Einzige, der mir helfen kann. Aber du darfst nicht denken, dass das bedeutet, dass du und ich wieder zusammenkommen. Das wird nie passieren. Ich liebe dich. Aber nicht so. Wenn das der einzige Grund ist, warum du mir helfen würdest, dann lass es mich bitte sofort wissen, damit ich einen anderen Ausweg finden kann." Ich fühlte mich schlecht, weil ich ihn verletzt hatte, und wollte die Schuldgefühle, die ich deswegen hatte, nicht noch schlimmer machen.

„Möchtest du vorbeikommen, damit wir reden können?", fragte er. „Egal was passiert, Zurie, du kannst immer auf mich zählen. Auch wenn ich nicht dein Ehemann sein kann, fühle ich mich trotzdem geehrt, dein Freund zu sein."

Ich hatte seine Loyalität nicht verdient − nicht einmal ein bisschen −, aber ich würde mir von ihm helfen lassen. „Ich komme gleich vorbei. Und danke, dass du mir so ein wunderbarer und treuer Freund bist, Reece. Du hast keine Ahnung, wie sehr ich das zu schätzen weiß."

„Ich kann es mir vorstellen, Zurie. Dann bis gleich. Bye."

Jetzt, da ich jemanden hatte, der mir half, fühlte ich mich viel besser. Langsam ging ich zurück, um das Testergebnis zu überprüfen, das inzwischen vorliegen müsste. Ich holte tief Luft und bereitete mich darauf vor, was auf mich zukommen könnte.

Aber bevor ich mich allzu weit von meinem Handy entfernt hatte, kam ein Anruf. Ich eilte zurück und sah, dass es meine Mutter war. „Hi, Mom."

„Hallo, Zurie. Ich rufe nur an, um zu fragen, wie es dir geht."

„Mom, mir geht es sehr gut. Und ich habe fantastische Neuigkeiten für dich." Ich hatte Reece noch nicht gefragt, aber ich war mir sicher, dass er Ja sagen würde. „Vielleicht komme ich sehr bald nach Hause. Womöglich schon morgen."

„Was?" Die Überraschung war ihrer Stimme anzuhören. „Zurie! Wie schön. Aber wie kannst du es dir leisten, nach Hause zu fliegen?"

„Ich habe einen Freund. Du erinnerst dich bestimmt daran, dass ich einmal mit Reece zusammen war, oder?" Sie hatten sich nie offiziell kennengelernt, aber sie wussten voneinander. Reece hatte mich nach Hause begleiten wollen, um meine Mutter und meine Schwester zu treffen, aber ich hatte nicht gewollt, dass er sah, wie ich aufgewachsen war.

„Seid ihr beide wieder zusammen?" Ich hörte, wie sie in die Hände klatschte. „Das ist wunderbar!"

„Nein, wir sind nicht wieder zusammen. Ich habe ihn noch nicht gefragt, aber ich bin überzeugt, dass er mich zu euch bringt. Und es gibt noch mehr. Ich werde ihn auch fragen, ob er mir dabei helfen kann, in ein eigenes Haus zu ziehen, damit du und Antiqua hierherkommen und bei mir wohnen könnt."

Angst erfüllte ihre Stimme. „Wie sollen wir dorthin gelangen?"

„In seinem Privatjet, Mom. Du wirst es schaffen. Ich werde dir etwas besorgen, um dich zu beruhigen. Ich brauche euch beide hier bei mir. Bitte streite deswegen nicht mit mir."

„Wenn es dir das Leben leichter macht, werden wir bei dir wohnen, Zurie. Wann müssen wir bereit sein? Ich muss packen."

„Schon sehr bald, Mom. Und du musst nur das Nötigste packen. Du kannst keine Möbel oder dergleichen mitbringen."

„Ah, ich verstehe. Alles klar. Sag Bescheid, wenn ihr kommt." Sie klatschte wieder in die Hände. „Ich freue mich wirklich, Zurie. Das wird ein Abenteuer für uns."

„Gut." Ich war froh, dass sie es in einem anderen Licht betrachtete als zuvor. „Ich liebe dich. Und ich werde bald ausführlich mit dir über meine Pläne sprechen."

„Ich liebe dich auch. Ich werde es deiner Schwester sagen. Sie wird überglücklich sein. Bis bald."

Ich legte das Handy auf die Küchentheke und seufzte erleichtert. Das war viel einfacher gewesen, als ich gedacht hatte.

Ich drehte mich um, um endlich das Ergebnis des Schwangerschaftstests herauszufinden. Ich musste zugeben, dass allein die Vorstellung, ein Baby zu bekommen, mich stärker gemacht hatte. Als hätte ich eine Kraft in mir, die ich noch nie zuvor gekannt hatte.

Wie das Ergebnis auch ausfiel, ich war froh, dass mir das passiert war. Es hatte mich auf neue Ideen gebracht und vieles in Gang gesetzt. Meine Angst war weg. Ich wusste nicht, wie das sein konnte, aber sie war einfach verschwunden.

Meine Kraft und mein Mut waren rasant gewachsen. Ich hatte das Gefühl, dass sie das auch weiterhin tun würden.

Ich war eine Überlebenskünstlerin. Es hatte nur ein wenig Panik gebraucht, um mich daran zu erinnern.

Ich schloss meine Augen, als ich den kleinen Stab aufhob, hielt den Atem drei Sekunden lang an und stieß ihn wieder aus, als ich meine Augen öffnete.

Mein Herz schlug schneller. Meine Augen füllten sich mit Tränen. Ich sank auf die Knie, während ich den Test noch immer in der Hand hielt.

*Ich bekomme ein Baby von Cayce Duran …*

# KAPITEL FÜNFUNDZWANZIG

## CAYCE

Die Entscheidung, die vor mir lag, war zu groß, um sie allein zu treffen. Also rief ich meine Brüder an und bat sie alle, zu mir zu kommen. Mit Burgern auf dem Grill im Garten und einer eisgekühlten Kiste Bier begrüßte ich sie herzlich, bevor ich ihnen erzählte, was los war.

Wir saßen draußen am Tisch und hatten leere Teller, die einmal voll gewesen waren, vor uns und ein frisches kaltes Bier in der Hand, als ich das unangenehme Thema zur Sprache brachte. „Ich habe euch heute aus einem bestimmten Grund gebeten vorbeizukommen."

Callan lehnte sich auf seinem Stuhl zurück. „Geht es um die Arbeit?"

„Irgendwie schon." Ich wusste, dass es sinnlos war, um den heißen Brei herumzureden, und dass ich zur Sache kommen musste. „Niko Armstrong hat eine Frau angeheuert, die mich erpresst. Er will, dass wir alle wieder für Mantabo arbeiten – und zwar sofort."

Chance lachte. „Hat dir die Erpresserin heute davon erzählt, oder was?"

„Nein." Ich schüttelte den Kopf. „Sie hat mich in die Falle gelockt, bevor sie mir irgendetwas erzählt hat."

„Verdammt", sagte Chance besorgt. „Was hat sie getan?"

„Ich hatte Sex mit ihr. Und sie hat behauptet, ich hätte etwas in die Flasche Wasser gemischt, die ich ihr gegeben hatte, bevor sie mich verführt hat."

„Und welche Beweise hat sie?", fragte Chase.

„Sie sagte, dass sie im Krankenhaus war und dort untersucht worden ist. Sie haben also mein Sperma. Aber sie haben meinen Namen nicht, weil sie ihn nicht genannt hat. Sie sagte auch, dass ihr Blut abgenommen worden ist und darin Ecstasy gefunden wurde. Aber ich weiß, dass sie das selbst eingenommen haben muss – wenn ich überhaupt darauf vertrauen kann, dass sie im Krankenhaus untersucht worden ist."

„Wie kommst du darauf?", fragte Callan.

„Sie war zurückhaltend, bis sie ins Badezimmer gegangen ist, und kurz nachdem sie wiederkam, war sie ganz heiß auf meinen Körper."

Chance fragte: „Also war sie davor nicht heiß auf dich?"

„Nein." Ich wusste, dass es verrückt klang. „Ich hätte nicht mit ihr schlafen sollen. Wir hatten ein Date und sie trank nicht einmal Alkohol. Sie hatte sich die ganze Zeit unter Kontrolle. Und dann hat sie sich plötzlich auf mich gestürzt."

„Wo ist das passiert?", fragte Chase.

„Hier. Ich meine, das Date begann in der Bar, in die ich euch eingeladen hatte. Ich hatte ein paar Drinks und da sie nichts getrunken hatte, bot sie mir an, mich nach Hause zu fahren. Ich dachte, warum nicht, also willigte ich ein. Dann habe ich sie in mein Haus gebeten, um es ihr zu zeigen. Bevor ich mich versah, fiel sie mir um den Hals und fragte, ob sie über Nacht bleiben könnte."

„Warum hast du ihr nicht einfach die Sicherheitsaufnahmen gezeigt und ihr gesagt, dass sie zur

Hölle fahren soll, weil du beweisen kannst, dass der Sex von ihr ausging?", fragte Callan.

„Aufnahmen?", fragte ich, da ich noch gar nicht daran gedacht hatte. „Verdammt! Ich habe die Überwachungskameras vergessen! Scheiße! Ich hatte von Anfang an die Macht, diesen Unsinn zu beenden." Ich hatte mich noch nie in meinem Leben so dumm gefühlt.

Chase' Gesichtsausdruck hatte sich in pure Wut verwandelt. „Ich sage dir, was wir tun werden. Wir werden morgen früh alle in das Büro dieses Scheißkerls gehen und Niko Armstrong eine Abreibung verpassen. Danach werden wir die kleine Schlampe finden, die dir das angetan hat, und sie dafür büßen lassen."

Ich hielt meine Hände hoch und unterbrach seine Tirade. Ich wollte nicht, dass sie so schlecht von Zurie dachten. „Was das Mädchen angeht … Sie ist keine Schlampe. Zumindest glaube ich nicht, dass sie das ist. Und ich habe vor Kurzem wieder mit ihr geschlafen."

„Bist du wahnsinnig?", fragten alle gleichzeitig.

„Wahrscheinlich. Aber ich möchte nicht, dass jemand auf sie losgeht, bis ich sicher bin, ob sie gut oder böse ist. Ich bin noch unentschlossen, aber mein Bauch sagt mir, dass sie gut ist. Zumindest die meiste Zeit. Manchmal denke ich auch, dass sie eine verlogene, verschlagene Schlampe ist. Aber das ist möglicherweise gar nicht der Fall."

„Das waren verdammt viele *Aber*, Bruder", informierte mich Callan.

„Ja, ich weiß." Die Widersprüche waren nur schwer zu ignorieren. „Lasst uns reingehen und nachsehen, ob wir die Sicherheitsaufnahmen beschaffen können. Morgen früh nehmen wir sie zu Niko mit."

Innerhalb weniger Minuten fand Chance die Aufnahmen und speicherte sie auf seinem Handy. „Ich hab's." Er sah mich an und wackelte mit den Augenbrauen. „Das ist ziemlich heiß, Cayce."

„Siehst du, das habe ich dir gleich gesagt." Ich wusste, dass es so war. „Man sieht die Veränderung an ihr, nachdem sie aus dem Badezimmer zurückgekommen ist."

Nickend stimmten alle zu: „Ja."

Callan lächelte, als wir uns den Clip noch einmal ansahen. „Sie ist wunderschön."

Ich schlug ihm auf den Arm. „Ja, ich weiß. Und wenn sie keine miese Lügnerin ist, gehört sie mir, Bruder."

„Bist du sicher, dass du mit jemandem zusammen sein willst, der dir so etwas antun würde, Cayce?", fragte Chance. „Ich meine, das ist nicht der beste Start für eine gesunde Beziehung. Du solltest dir das wahrscheinlich noch einmal in Ruhe überlegen. Du stehst offensichtlich auf sie. Und sie ist heiß. Aber du musst auf dein Gehirn hören, nicht nur auf deinen Körper."

„Ich weiß, ich weiß." Ich wusste es, aber es war mir egal. „Sie und ich haben eine außergewöhnliche Chemie. Wenn ich mit ihr zusammen bin, fühle ich Dinge, die ich noch nie bei einer anderen Frau gefühlt habe. Es ist wunderbar. Und sie kann mich so wütend machen wie sonst niemand. Was schlecht ist. Ich weiß, dass es schlecht ist. Aber das Gute ist so verdammt gut. Es ist fantastisch."

Chance schüttelte den Kopf. „Sie ist eine professionelle Erpresserin, Cayce. Du kannst ihr nicht vertrauen."

„Sie ist kein Profi. Überhaupt nicht. Sie arbeitet in der Forschungsabteilung von Mantabo. Niko hat sie ausgewählt, weil er dachte, sie könnte mich dazu bringen, etwas zu tun, womit er mich erpressen kann."

„Und er hatte recht", murmelte Callan. „Sie zieht bei dir die Fäden." Er wackelte mit den Fingern, als würde er eine Marionette bewegen.

„Ich weiß." Ich musste aufhören zu denken, dass Zurie gut war. Aber ich konnte es einfach nicht. „Ich glaube, da ist noch mehr. Ich meine, sie hat mir erzählt, dass er einen Aktenkoffer voller Hundert-Dollar-Scheine bereithält, den er ihr aber noch nicht gegeben hat."

„Also denkst du, dass er sie vielleicht betrügt?", fragte Chance. „Weil das bedeuten könnte, dass sie genauso ein Opfer ist wie du."

Callan packte Chance an der Schulter. „Sei nicht so leichtgläubig wie Cayce. *Sie* hat ihm das angetan. Sie ist *kein* unschuldiges Opfer wie unser Bruder. Und Niko will uns auch zu Opfern machen."

Ich hielt einen Finger hoch. „Nur wenn wir es zulassen, und das werden wir nicht. Mit dem, was wir hier haben, können wir ihm den Wind aus den Segeln nehmen. Dieses Video beweist meine Unschuld. Es beweist, dass der Sex nicht von mir ausging, sondern von ihr. Und die Kamera in der Küche hat mich dabei gefilmt, wie ich die Wasserflasche aus dem Kühlschrank geholt habe, ohne sie irgendwie zu manipulieren. Mir kann niemand etwas vorwerfen."

Chase schlug mit der Faust auf die Arbeitsplatte der Küche. „Ihm den Wind aus den Segeln nehmen? Ist das alles? Ich will ihn hinter Gittern sehen für das, was er getan hat. Lasst uns Ronnie und Brad anrufen. Sie sollen einen Blick darauf werfen. Erzähle ihnen deine Geschichte, Cayce. Sie werden uns sagen, wie es von hier aus weitergeht."

Ronnie und Brad waren alte Klassenkameraden von Chase. Beide waren nach der Highschool zur Polizei gegangen und inzwischen beide Detectives beim Brownsville Police Department. Jetzt, da Chase sie erwähnt hatte, machte es mich wütend, dass ich nicht daran gedacht hatte, sie zu kontaktieren, als dieser Mann vorbeigekommen war und behauptet hatte, einer von ihnen zu sein. Zurie hatte meine Fähigkeit, klar zu denken, ernsthaft beeinträchtigt.

„Scheiße. Ich hatte sie ganz vergessen."

„Nun, ich nicht", sagte Chase, als er sein Handy aus der Tasche zog und den Anruf tätigte. Er verließ die Küche, um zu reden, während die anderen mich ansahen, als wäre ich ein kompletter Dummkopf.

Chance klopfte mir auf die Schulter. „Sie hat dich um den Verstand gebracht, Cayce. Das können wir sehen. Du musst den Kontakt zu ihr abbrechen. Egal was du über sie denkst, man kann ihr nicht trauen."

Ich wusste nicht, ob ich das tun konnte. „Lass mich sehen, wie sich diese Sache entwickelt. Wenn es am Ende immer noch schlecht für sie aussieht, werde ich sie gerne aus meinem Leben verbannen. Aber wenn sich herausstellt, dass sie ein guter Mensch ist, dann glaube ich nicht, dass ich das tun kann."

Seufzend stand Callan auf, um sich noch ein Bier aus meinem Kühlschrank zu holen. „Es gibt noch viel mehr Frauen da draußen. Sie ist nicht die einzige. Sie hat dir zu viel angetan. Lass sie gehen. Oder besser noch – befreie dich von ihr. Sie hat dich am Haken." Er tat so, als würde er eine Angelrute auswerfen und einziehen.

Vielleicht hatte er recht. Vielleicht hatten sie alle recht. Aber es gab irgendetwas, das mich davon abhielt, ihnen beizupflichten. „Wir werden sehen."

Callan lachte, als er den Kopf schüttelte. „Du siehst aus wie ein verliebter Mann. Das ist verrückt. Diese Frau hat dich fast ruiniert, aber du bist dir immer noch nicht sicher, ob du sie aus deinem Leben verbannen sollst oder nicht. Ich schätze, du stehst auf diese SM-Scheiße und hast es einfach nie gewusst. Werden wir dich hier eines Tages in einem winzigen Käfig mit einer Lederwindel und einem riesigen Schnuller im Mund finden?"

Ich war es leid, zum Gespött meiner jüngeren Brüder zu werden. „Wie wäre es, wenn ich dir in den Hintern trete, nur um zu sehen, ob du noch einmal so etwas Dummes sagst?" Ich ballte meine Hände zu Fäusten.

„Scheiße, Mann." Callan wich langsam zurück und hob die Hände. „Ich habe nur Spaß gemacht."

„Natürlich." Ich war nicht dumm. „Hört zu, ihr kennt sie nicht. Sie ist kompliziert … ein Rätsel, das ich lösen möchte. Wenn das überhaupt möglich ist."

# KAPITEL SECHSUNDZWANZIG

## ZURIE

Es fühlte sich seltsam an, nach über einem Jahr wieder auf Reece' Anwesen zurückzukehren. Die kurvenreiche Straße, die dorthin führte, war immer noch perfekt. Der Rasen war ordentlich getrimmt, die Hecken waren perfekt geschnitten und die Villa im mexikanischen Hacienda-Stil war so prachtvoll wie eh und je.

Reece lebte in einer perfekten Welt. Dort fühlte er sich wohl. Aber ich hatte es nie getan. Vielleicht hatte das Leben in Häusern, die eher Hütten waren, dazu geführt, dass Reichtum nicht zu mir passte.

Obwohl ich Reece' Haus in jeder erdenklichen Weise wundervoll fand, hatte ich nie das Gefühl gehabt, dass es mein Zuhause sein könnte. Ich hatte auch nie das Gefühl gehabt, dass ich zu seinen Freunden und seiner Familie passte. Sie waren alle sehr nett zu mir gewesen, aber ich hatte ihnen nicht viel zu sagen gehabt. Sie hatten über Dinge gesprochen, von denen ich keine Ahnung hatte, und das, was ich zu sagen gehabt hatte, schien sie zu langweilen.

Obwohl Reece und ich aus verschiedenen Welten kamen,

liebte er mich. Er kümmerte sich immer noch um mich und mein Wohlergehen. Ich hatte Glück. Aber ich fühlte mich auch schuldig, weil ich ihn gebeten hatte, meinetwegen so viele Mühen auf sich zu nehmen, obwohl ich nichts anderes als Freundschaft von ihm wollte.

*Als ob ich eine andere Wahl hätte.*

Als ich Reece per SMS benachrichtigte, dass ich angekommen war, sah ich, wie sich die Haustür öffnete und er herauskam, um mich zu begrüßen. „Zurie, ich bin so froh, dass du zu mir gekommen bist, um Hilfe zu bekommen."

„Du bist der Einzige, dem ich im Moment vertraue. Ich möchte nicht, dass irgendjemand weiß, was ich dir zu sagen habe." Ich sah mich um und entdeckte den Gärtner. Ich wusste, dass weitere Mitarbeiter im Haus waren. „Wir brauchen einen privaten Ort zum Reden. Ich kann nicht riskieren, dass das, was ich sage, meinem Chef zu Ohren kommt."

„Das Poolhaus." Er nahm meine Hand und führte mich zu dem einzigen Ort, an dem wir absolute Privatsphäre hatten.

Er schloss die Tür hinter uns und wir setzten uns auf das Sofa. „Niko erpresst nicht nur Cayce Duran. Er erpresst auch mich."

Funken der Wut schossen in seine blauen Augen. „Dieser Bastard! Ich werde ihn umbringen!"

„Warte." Ich hatte gewusst, dass er so reagieren würde. Ich hatte das Gefühl, Cayce hätte die gleiche Reaktion gehabt. Aber obwohl ich keine Ahnung hatte, ob ich mit Cayce zusammenarbeiten könnte, war ich mir absolut sicher, dass es mit Reece funktionieren würde. „Das ist eine heikle Situation. Er hat jemanden in Pretoria, der meiner Mutter und meiner Schwester wehtun kann. Er hat mir dieses Bild geschickt, auf dem sie in ihrem Garten sitzen", sagte ich, als ich ihm das Foto auf meinem Handy zeigte.

Seine Hand zitterte, als er mein Handy nahm, um es sich

anzusehen. „Ich bin so wütend, dass ich Feuer spucken könnte. Für wen hält sich dieser Mann?"

„Keine Ahnung. Vielleicht für Gott. Tatsache ist, dass ich meine Familie so schnell wie möglich da rausholen muss. Es dauert ungefähr zwanzig Stunden, nach Pretoria zu gelangen. Ich muss morgen früh wieder arbeiten. Wenn ich nicht auftauche, wird Niko bestimmt seine Handlanger schicken, um meiner Familie etwas anzutun. Also muss ich sie an einem sicheren Ort verstecken. In einem Hotel oder so. Und danach muss ich sie hierherbringen. Glaubst du, du kannst mir bei all dem helfen?"

„Das kann ich", sagte er und nickte. „Ich werde einen Sicherheitsdienst damit beauftragen, sie zu beschützen. Das kann ich sofort machen. Wie spät ist es gerade bei ihnen?"

„Hier ist es zwei Uhr, also ist es dort neun Uhr abends." Ich war froh, dass Reece alles im Griff zu haben schien. „Glaubst du, du kannst einen Wachmann schicken, der sie abholt und in ein Hotel begleitet?"

„Du rufst deine Mutter an und sorgst dafür, dass sie ihre Sachen packt. Ich rufe einen Sicherheitsdienst an und organisiere alles. Deine Familie wird innerhalb von anderthalb Stunden sicher und wohlbehalten in einem Hotel sein." Er stand auf und ging in die Küche, um die erforderlichen Anrufe zu tätigen.

Ich rief meine Mutter an, die mit schläfriger Stimme ans Telefon ging: „Zurie?"

„Mom, du musst aufstehen und dich anziehen. Hast du schon eure Koffer gepackt?" Obwohl ich froh war, dass meine Familie bald in Sicherheit sein würde, ließ mich die Angst davor, wer sie im Auftrag von Niko beobachtete, erschaudern.

„Zurie, es dauert noch eine ganze Weile, bis du hier bist. Warum sollte ich mich beeilen?"

Ich hatte ihr nichts davon erzählt, dass sie in Gefahr waren. Ich hatte sie nicht erschrecken wollen, aber es schien, als wäre jetzt der richtige Zeitpunkt, um sie zur Eile zu mahnen. „Mom, ich habe dir etwas verheimlicht. Mein Chef zwingt mich, etwas zu tun, das ich nicht tun will. Und er benutzt dich und Antiqua als Druckmittel. Ihr seid beide in Gefahr."

„Was?", rief sie. „Wir sind in Gefahr? Und du wusstest davon, hast dich aber entschlossen, es vor mir geheim zu halten? Warum?"

„Ich wollte nicht, dass du dich aufregst. Weißt du, so wie du es jetzt tust. Aber du musst dich beeilen und eure Koffer packen. Reece wird einen Sicherheitsdienst anheuern, der euch beschützt. Bald wird euch ein Wachmann abholen. Ihr werdet in ein Hotel in der Stadt gebracht und der Wachmann bleibt bei euch. Reece und ich werden bald aufbrechen. Aber es wird fast einen Tag dauern, bis wir bei euch sein können."

„Zurie, das ist verrückt."

„Glaub mir, das weiß ich. Kannst du packen und dich und Antiqua fertig machen?" Ich sah Reece an, der immer noch telefonierte.

„Jetzt, da ich weiß, dass wir in Gefahr sind, kann ich mich mit der Geschwindigkeit einer Raubkatze bewegen. Können wir nach eurer Ankunft hierher zurückkehren, um noch mehr zu packen? Ich muss wissen, wie viel ich mitnehmen soll."

„Ich bin sicher, dass wir zurück zum Haus fahren können, um den Rest eurer Sachen zu packen. Nimm einfach genug für ein paar Tage mit." Ich sah, wie Reece sein Handy wieder in die Tasche steckte. „Ich muss gehen, Mom. Ich liebe dich. Bis bald. Bye."

„Bye, Zurie. Pass auf dich auf."

Ich verstaute mein Handy und wandte meine Aufmerksamkeit wieder Reece zu. „Hast du alles arrangiert?"

„Ja. Meine persönliche Assistentin bucht gerade das Hotel. Sie wird den Sicherheitsdienst in Pretoria mit allen Informationen anrufen, sobald sie mehr weiß. Ich habe zwei Wachmänner angeheuert, die auf deine Familie aufpassen werden. Aber du musst mir ihre Adresse geben, damit ich sie dorthin schicken kann. Sie werden sich sofort auf den Weg machen, um deine Mutter und deine Schwester abzuholen."

Ich wackelte mit den Fingern. „Gib mir dein Handy. Ich schreibe sie dir auf."

Nachdem das erledigt war, fühlte ich mich besser. Allerdings nicht ganz. Ich hatte das Gefühl, dass ich mich erst wieder normal fühlen würde, wenn ich meine Mutter und meine Schwester bei mir hatte. „Ich muss dich noch um einen Gefallen bitten."

„Ich tue, was auch immer du willst." Er ergriff meine Hände und zog mich in eine Umarmung. „Du trägst diese Last ganz allein auf deinen Schultern. Du brauchst eine Umarmung, Süße."

In seinen Armen fühlte ich mich besser. „Danke, Reece. Deine Umarmungen waren immer großartig. Ich fühle mich schon besser."

Er ließ mich los und wir setzten uns wieder. „Also, sag mir, was du sonst noch brauchst."

„Ich muss in ein Haus ziehen, bevor ich Mom und Antiqua hierher zurückbringe. Bei mir ist kein Platz."

Er streckte die Arme aus und fragte: „Was ist mit diesem Haus? Hier gibt es drei Schlafzimmer und drei Badezimmer. Es wäre perfekt. Und sicher. Sobald wir zurück sind, werde ich die Behörden auf Niko Armstrong ansetzen. Aber du weißt, wie es laufen kann. Er hat genug Geld, um nicht im Gefängnis zu landen. Aber bei mir seid ihr alle sicher. Ich habe hier ohnehin Sicherheitspersonal."

Ich hatte nicht daran gedacht, bei Reece zu bleiben. Ich war nicht überzeugt, ob das gut für ihn oder mich wäre, aber er hatte recht. Das Poolhaus wäre für uns der sicherste Ort. „Danke. Ich nehme dein Angebot an. Es ist mehr als großzügig. Und jetzt zum nächsten Gefallen", fuhr ich fort und hasste, wie viel ich von ihm verlangen musste. „Ich muss meinen Job kündigen."

Er hielt eine Hand hoch. „Sag nichts mehr, Zurie. Ich weiß,

dass dir deine Arbeit wichtig ist. Sobald es für dich sicher ist, wieder nach draußen zu gehen, helfe ich dir, etwas Neues zu finden. Ich habe Freunde in hohen Positionen, wie du bereits weißt."

„Nochmals vielen Dank, Reece." Jetzt, da das Adrenalin nachließ, spürte ich, wie mir Tränen der Dankbarkeit in die Augen stiegen. „Wirklich. Ich weiß nicht, was ich ohne dich machen würde." Ich nahm seine Hand und hielt sie an mein Herz. „Du bist der beste Freund, den ich je hatte."

Seine Brust hob und senkte sich, als er schwer seufzte. „Ich wünschte, ich wäre mehr für dich."

Mein Kopf senkte sich, als Schuldgefühle in mir aufstiegen. „Ich auch, Reece." Jetzt gab es auch noch das Baby, an das ich denken musste. Nicht, dass ich ihm das jetzt sagen würde.

Sobald sich der Aufruhr gelegt hatte, musste ich Cayce von dem Baby erzählen. Wenn ich etwas über Cayce wusste, dann war es, dass er nicht damit einverstanden wäre, dass ich im Poolhaus meines Ex wohnte, während ich mit seinem Baby schwanger war. Aber ich konnte nicht alles auf einmal klären. Das musste warten.

„Ich habe meinen Piloten angerufen und er hat gesagt, dass er den Jet innerhalb einer Stunde startklar machen wird. Du musst nach Hause fahren und Kleidung einpacken. Dann lasse ich uns von meinem Fahrer zum Flughafen bringen. Du solltest dein Handy in deiner Wohnung lassen. Es könnte überwacht werden und ich möchte nicht, dass Niko weiß, dass du die Stadt verlassen hast. Es wäre am klügsten, auch dein Auto an deiner Adresse zu lassen."

Er hatte recht. Ich wusste, dass ich beobachtet wurde. „Dann fahre ich nach Hause. Ich stopfe meine Haare unter eine Baseballmütze und trage weite Klamotten und eine große Sonnenbrille. Wenn du bei mir ankommst, parkst du am besten am anderen Ende des Grundstücks. Ich nehme die Hintertür und gehe hinten am Gebäude entlang, um zu deinem Auto zu gelangen. Auf diese Weise wird mich niemand sehen."

„Gute Idee." Er zog mich zu sich, umarmte mich und küsste meinen Kopf. „Verhalte dich unauffällig. Ich würde jemanden mit dir schicken, aber ich fürchte, das würde Niko misstrauisch machen. Denke daran, dass alles schon bald vorbei sein wird. Ich werde dafür sorgen, dass dieser Mann für das, was er dir angetan hat, büßen muss, Zurie."

„Danke." Ich küsste seine Wange. „Ich gehe jetzt."

Als ich wegfuhr, schaute ich im Rückspiegel auf Reece' Villa. Ich würde meine Mutter und meine Schwester dorthin bringen. Sie hatten so etwas noch nie in ihrem Leben gesehen.

Für sie sollte sich alles ändern. Ich war dabei, sie in ein Leben zu führen, das beiden wahrscheinlich wie der Himmel erscheinen würde. Ich wusste, dass Reece keine Zeit verschwenden würde, ihnen die Operationen und die medizinische Versorgung zu ermöglichen, die sie brauchten. So war er einfach.

Ich lege meine Hand auf meinen Bauch. „Ich hoffe, dein Vater ist ein ebenso guter Mann wie derjenige, der uns gerade hilft. Ich dachte, dass wir keine gemeinsame Zukunft haben, aber deine Anwesenheit hat das geändert. Jetzt haben wir ganz sicher eine gemeinsame Zukunft. Du hast uns zusammengeführt."

Da ich keine Ahnung hatte, wie Cayce die Nachricht von unserem Baby aufnahm, wollte ich nicht davon ausgehen, dass alles gut werden würde. Ich wollte nicht enttäuscht sein, wenn er sagte, dass er nichts mit mir oder dem Baby zu tun haben wollte.

*Wem mache ich etwas vor? Wenn er sagt, dass er nichts mit uns zu tun haben will, bricht es mir das Herz.*

# KAPITEL SIEBENUNDZWANZIG

## CAYCE

Früh am nächsten Morgen waren wir bereit, Niko Armstrong entgegenzutreten. Die Detectives Ronnie und Brad waren bei uns. Sie hatten Chase mit einem Aufnahmegerät ausgestattet, um Aufzeichnungen von allem zu erhalten, was Niko sagen würde, und es als Beweise gegen ihn zu verwenden. Die Tage seiner Erpressungsversuche waren gezählt.

Die Detectives warteten in einem unauffälligen Auto direkt vor den Toren von Mantabos gesichertem Parkplatz. Sie hatten einen Richter gefunden, der ihnen einen Haftbefehl gegen Niko ausstellen würde, sobald sie genug Beweise hatten, um ihn dorthin zu bringen, wo er hingehörte – ins Gefängnis.

Ich hielt mit meinen Brüdern am Tor. „Hey, Kyle", grüßte ich den Pförtner. „Wir sind hier, um Niko zu sehen. Er hat nach uns geschickt."

„Ja. Ihre Namen sind auf der Liste. Schon seit dem Tag, an dem Sie uns verlassen haben", sagte er. „Wie läuft das neue Geschäft?"

„Großartig. Wir sind bereits in der Bauphase", ließ ich ihn wissen.

„Cool. Ich kann es kaum erwarten zu sehen, was vier Genies wie Ihnen alles einfällt. Ich melde Sie jetzt an. Es war großartig, Sie alle wiederzusehen."

„Wir haben uns auch gefreut", sagte ich und fuhr durch das Tor. Ich entdeckte Nikos Lamborghini, der an seinem üblichen Platz geparkt war. „Gut, er ist hier." Ich sah mich nach Zuries kleinem silbernen Toyota um, fand ihn aber nicht. Auf dem Parkplatz standen nicht viele Autos, da es erst sieben Uhr morgens war.

Ich parkte neben Nikos Wagen. Dann stiegen wir alle aus und gingen direkt zu seinem Büro. Er erwartete uns schon, als wir eintraten, ohne anzuklopfen. „Ihre Sekretärin war nicht an ihrem Schreibtisch, also sind wir einfach reingekommen", informierte ich ihn.

Freundlich sagte er: „Der Pförtner hat mir mitgeteilt, dass Sie auf dem Weg zu mir sind. Bitte setzen Sie sich. Ich habe mir erlaubt, mehr Stühle herbringen zu lassen, damit wir darüber sprechen können, was für Sie, Gentlemen, am besten ist." Er tat so, als wären wir freiwillig bei ihm.

Ich sah meine Brüder an und schüttelte den Kopf. „Wir stehen lieber." Er sollte nicht denken, dass wir irgendeiner seiner Forderungen nachgeben würden. „Wir sind nur hier, um Sie wissen zu lassen, dass keiner von uns sich von Ihnen erpressen lässt, Niko Armstrong." Ich wollte sichergehen, dass sein Name auf der Aufnahme war.

„Erpressen?", fragte er, als hätte er keine Ahnung, wovon ich redete.

„Stellen Sie sich nicht dumm. Erinnern Sie sich nicht an das Gespräch, das wir am Telefon geführt haben?" Der Mann war unglaublich. „Ihr Plan, Zurie auf mich anzusetzen, ist nicht aufgegangen."

„Das war nie mein Plan. Das Mädchen hat mich um Hilfe gebeten, nachdem Sie es ausgenutzt hatten", sagte er und schob einige Dokumente zu mir. „Lesen Sie das, Duran. Krankenhausberichte lügen nicht."

Ich nahm die Dokumente, von denen ich bereits wusste, dass sie gefälscht waren. „Seltsam, dass Sie das ansprechen. Ich habe ein paar Telefonate geführt und herausgefunden, dass Zurie nie im Krankenhaus war. Es gibt gar keine Laborergebnisse, die besagen, dass Ecstasy in ihrem Blut war. Sie wurde nie auf Spuren einer Vergewaltigung untersucht. Das ist alles Unsinn."

Ohne mit der Wimper zu zucken, sagte er: „Sie lügen. Krankenhäuser und ihre Mitarbeiter haben Schweigepflicht, sodass sie diese Art von Informationen niemals an andere weitergeben würden – außer an den Patienten. Und ich weiß zufällig, dass Zurie Ihnen niemals darüber Auskunft geben würde."

„Das hat sie nicht." Die Detectives hatten es mir gesagt, aber ich wollte ihn noch nicht wissen lassen, dass sie uns unterstützten. „Sie können glauben, was Sie wollen. Ich weiß, dass sie nicht im Krankenhaus war. Verdammt, ich glaube nicht einmal, dass sie in jener Nacht etwas eingenommen hat. Ich glaube, sie hat sich die ganze verdammte Sache ausgedacht. Das muss ich Ihnen lassen, Niko. Sie haben eine verdammt gute Lügnerin angeheuert, um Ihre Drecksarbeit zu erledigen."

„Sie angeheuert? Das habe ich nicht. Sie können sie fragen, ob ich ihr auch nur einen Cent bezahlt habe. Sie wird Ihnen sagen, dass ich es nicht getan habe." Er grinste selbstgefällig und hielt sich offenbar für verdammt clever.

„Sie hat mir von dem Aktenkoffer voller Bargeld erzählt, Niko. Und ja, ich weiß, dass Sie es ihr noch nicht gegeben haben, aber Sie haben es ihr versprochen, wenn sie mich und meine Brüder zu Ihnen zurückbringt."

„Ich habe keine Ahnung, wovon Sie sprechen. Aber Sie sind alle hier", sagte er und deutete auf uns. „Sie sind alle gekommen, um mich zu sehen. Es klingt aber nicht so, als würden Sie Ihre alten Jobs zurückhaben wollen."

„Deshalb sind wir nicht hier." Es war offensichtlich, dass

ich ihn ködern und wütend machen musste, wenn ich ihn dazu bringen wollte, etwas zu sagen, das ihn ins Gefängnis beförderte. „Wir sind hier, um Sie wissen zu lassen, dass Sie gegen die Vertraulichkeitsvereinbarung, die wir alle unterzeichnen mussten, verstoßen haben, als Sie mich erpresst haben. Dadurch haben Sie es uns erst ermöglicht, die Geheimnisse zu verkaufen, die Ihnen so am Herzen liegen."

Sein Gesicht wurde rot und ich sah die Wut in seinen Augen. „Wie können Sie es wagen, mir zu drohen?"

„Oh, also dürfen nur Sie anderen drohen, Niko?", fragte ich schmunzelnd. „Und es ist keine Drohung. Es ist ein Versprechen. Meine Brüder haben bereits mit einem Waffenhersteller in Montana gesprochen. Er ist sehr daran interessiert, unsere wertvollen Informationen zu kaufen. Ich lasse mich nicht mehr von Ihnen erpressen. Sie hätten darüber nachdenken sollen, mit wem Sie sich anlegen."

„Ich glaube, *Sie* wissen nicht, mit wem Sie es zu tun haben, Duran. Ich habe Sie in der Hand. Ich habe Zurie. Denken Sie daran, dass ich ihre besten Interessen im Blick habe. Sie wird zur Polizei gehen und Sie wegen sexueller Nötigung und der Verabreichung von Drogen anzeigen. Sind Sie wirklich bereit, nicht nur Ihren Ruf zu ruinieren, sondern auch ins Gefängnis zu gehen? Alles, was Sie tun müssen, ist, Ihre lukrativen Jobs bei Mantabo wiederaufzunehmen. Ich glaube, ich biete Ihnen kein schlechtes Geschäft an, Gentlemen."

„Wir wollen nicht mehr für Sie arbeiten", knurrte Callan.

„Wir werden nie wieder für einen Mann wie Sie arbeiten", fügte Chase hinzu.

Ich sah meine Brüder an und war stolz auf ihren Mut. „Sie können uns zu nichts zwingen, Niko. Sie sollten sich selbst einen Gefallen tun und einfach aufgeben. Gestehen Sie, was Sie getan haben, und wir können alle mit unserem Leben weitermachen." Natürlich würde er ins Gefängnis kommen, aber diese kleine Überraschung würde er erst am Ende unserer Diskussion erfahren.

Chance hatte die Aufnahmen meiner Sicherheitskameras auf einer Speicherkarte mitgebracht. Als er sie Niko reichte, sagte er: „Sehen Sie sich das an. Dann verstehen Sie, warum mein großer Bruder sich keine Sorgen machen muss."

Niko nahm die Speicherkarte, steckte sie in seinen Computer und betrachtete das Video auf seinem Bildschirm. „Wenn Sie glauben, dass das Ihre Unschuld beweist, irren Sie sich leider. Zurie wurde eindeutig unter Drogen gesetzt. Sie können es daran erkennen, wie sie sich verhält, nachdem sie den Raum verlassen und zurückgekommen ist. Soweit ich weiß, hätten Sie jede Wasserflasche in Ihrem Kühlschrank mit Drogen versetzen können. Und ich bin mir sicher, dass ein Richter oder eine Jury genauso denken werden."

Nichts schien den Mann zu erschüttern. Und ich wusste nicht, ob er genug gesagt hatte, um in echte Schwierigkeiten mit dem Gesetz zu geraten. Ich musste mehr aus ihm herausbekommen. „Sie haben gesagt, dass Sie das für Zurie tun. Sie haben gesagt, dass Sie auf ihre besten Interessen achten. Aber ich verstehe nicht, wie sie davon profitiert, wenn wir zurückkommen und wieder hier arbeiten."

Er starrte mich an. Ich hatte den Mann überrumpelt. Er hatte keine Ahnung, was er darauf sagen sollte. „Nun, dann stehen Sie unter meiner Beobachtung. Hier wird kein übergriffiges Verhalten geduldet. Wenn Sie ihr während der Arbeit etwas antun, würden Sie auf jeden Fall angeklagt werden."

„Das ist eine verdammt schlechte Ausrede", sagte Chance. „Und selbst, wenn sie wahr wäre – wie erklärt das, dass Sie nicht nur Cayce, sondern auch uns zurückhaben wollen? Wie erklärt das, dass Sie von uns allen verlangen, in die Jobs zurückzukehren, die wir hier bei Mantabo gekündigt haben?"

Callan fügte hinzu: „Das ergibt keinen Sinn, Niko. So wie ich es sehe, haben Sie die hübscheste Frau, die in Ihrem Unternehmen arbeitet, mit mehr Geld, als sie jemals in ihrem Leben gesehen hatte, dazu manipuliert, meinen Bruder aufzuspüren. Sie haben sie dazu gebracht, ihn zu verführen. Und dann haben Sie sie dazu gebracht, zu behaupten, dass der Sex nicht einvernehmlich war."

„*Ich* habe sie nicht dazu gebracht, irgendetwas zu tun. Demnach, was Zurie mir erzählt hat, ist sie Cayce an jenem Morgen beim Frühstück begegnet und später am Abend trafen sie sich auf einen Drink. Er war betrunken, also fuhr sie ihn nach Hause, da sie überhaupt nichts getrunken hatte. Dort hat er ihr das mit Drogen versetzte Wasser gegeben und sie ausgenutzt." Ein weiteres selbstgefälliges Grinsen folgte seiner ausführlichen Beschreibung der Ereignisse dieses Tages.

„Mir hat sie etwas anderes erzählt, Niko", informierte ich ihn. „Sie hat mir verdammt viel erzählt."

„Können Sie sie dazu bringen, diese Dinge vor Gericht zu sagen?", fragte er, als er mich ansah. „Wie soll Ihnen jemand glauben, wenn Sie es nicht können? Soweit ich weiß, hat sie Ihnen diese Lügen erzählt, weil Sie versucht haben, Informationen aus ihr herauszubekommen. Ist das der Fall? Haben Sie sie belästigt? Wenn ja, glaube ich, dass es an der Zeit ist, die Behörden einzubeziehen."

Chase schnaubte und zog unsere Aufmerksamkeit auf sich. „Nichts, was Sie sagen, ergibt Sinn, Niko. Warum sollte Zurie zu Ihnen kommen wegen etwas, das außerhalb der Arbeit passiert ist? Das würde ich verdammt gerne wissen. Außerdem will ich wissen, warum es Ihrer Meinung nach plausibel ist, uns hierher zurückzuholen, weil wir vermeiden wollen, dass unser ältester Bruder eines Verbrechens angeklagt wird. Wie würde das Zurie in irgendeiner Weise helfen? Denn Ihre Behauptung, dass Sie ihn oder jemanden von uns im Blick behalten wollen, ist einfach nur dumm. Sie benutzen Zurie, um meinen Bruder zu erpressen. Das ist das Einzige, was Sinn ergibt. Und Zurie hat es ihm gegenüber zugegeben. Also, was nützt es Ihnen, so zu tun, als würden Sie nicht hinter diesem ganzen Plan stecken?"

„Ich stecke nicht dahinter. Ich sage Ihnen die Wahrheit."

„Nun, wir kommen nicht zurück, um wieder für Sie zu arbeiten", sagte ich. „Also, was passiert jetzt?"

Mit einem Schulterzucken sagte er: „Ich schätze, das heißt, dass Sie lieber eine Strafanzeige bekommen."

Ich lachte. „Ist das etwa keine Erpressung, Niko? Entweder kommen wir alle zurück, um für Sie zu arbeiten, oder Sie zwingen Zurie, mich anzuzeigen. Sie haben keine Ahnung, wie viel Zurie mir schon gestanden hat. Das hat sie ganz von sich aus gemacht. Ich habe sie zu nichts gezwungen – weder sexuell noch anderweitig."

„Mir ist aufgefallen, dass Sie beide mehr Zeit miteinander verbracht haben." Er beugte sich vor und legte seine Finger zusammen, während er weitersprach. „Warum sollten Sie sich dabei sicher fühlen, Cayce?"

Ich zog die Augenbrauen hoch, als ich sagte: „Weil sie und ich eine Verbindung haben. Und Sie können darauf wetten, dass sie mir, wenn unsere Verbindung stärker wird, immer mehr darüber erzählt, welche Intrigen Sie sich ausgedacht haben."

„Hm." Er sah jeden von uns an, bevor er innehielt und seine Augen auf mir ruhten. „Ich glaube nicht, dass sie Ihnen noch ein Wort sagen wird. Nicht wenn ich sie so gut unter Kontrolle habe."

Was er sagte, war kein Geständnis, aber es war verdammt nah dran. „Wir gehen jetzt", sagte ich, als ich mich von Niko abwandte. „Das ist Zeitverschwendung. Wir kehren nie wieder zurück, um für Sie zu arbeiten."

„Das würde ich an Ihrer Stelle nicht tun, Cayce", knurrte Niko.

Ich blieb stehen, drehte mich um und hoffte, er würde gleich die Fassung verlieren. „Und warum nicht?"

„Es ist offensichtlich, dass Sie sich für Zurie interessieren. Wenn das stimmt, kehren Sie in Ihre alten Jobs zurück." Er sagte es so selbstbewusst, dass ich misstrauisch wurde.

„Wie würde das Zurie zeigen, dass sie mir wichtig ist?"

„Wenn Sie nicht alle hierher zurückkommen und wieder für mich arbeiten, wird sie ihre Familie verlieren. Dauerhaft."

*Er erpresst Zurie also auch?*

Glühender Zorn erfasste mich und trübte meine Sicht. Ein Schrei kam aus meinem Mund und ich stürzte mich auf den Bastard, der die Frau, die ich liebte, bedrohte. „Sie sind so gut wie tot, Niko Armstrong!"

Meine Brüder packten mich und zerrten mich zurück, während Niko hämisch lachte. „Das bin ich nicht. Aber Zuries Familie wird es sein, wenn Sie mein großzügiges Angebot nicht annehmen."

In diesem Moment stürmten die Detectives in den Raum. „Niko Armstrong, Sie haben das Recht zu schweigen."

*Fahr zur Hölle, Niko Armstrong.*

# KAPITEL ACHTUNDZWANZIG

## ZURIE

Als ich mit meiner Schwester und meiner Mutter nach Texas zurückflog, fühlte ich mich zum ersten Mal, seit Niko mich in diese Sache hineingezogen hatte, wirklich gut.

Mom schlief tief und fest, nachdem sie ein Schlafmittel genommen hatte. Sie hatte fast nichts von dem zweiundzwanzigstündigen Flug mitbekommen, aber so hatte sie es gewollt.

Antiqua schlief ein wenig, aber nicht viel. Sie war von allem begeistert und fand, dass Reece der schönste Mann auf dem Planeten war.

Ich beobachtete, wie sie kicherte, als sie Reece ansah, der auf der anderen Seite des Gangs eingenickt war. Ich saß hinter ihm und sie richtete ihre Augen auf mich. „Warum willst du Reece nicht heiraten, Zurie?"

Ich hielt einen Finger an meine Lippen. „Still, Antiqua. Er schläft. Du willst ihn bestimmt nicht aufwecken."

Eines von Reece' Augen öffnete sich. „Sie liebt mich nicht auf diese Weise", erklärte er ihr.

„Das verstehe ich nicht", sagte meine Schwester. „Du bist so gutaussehend. Und sehr nett."

„Ich schätze, darauf steht sie nicht", sagte er und lachte, als er mich wieder ansah. „*Worauf* stehst du, Zurie?"

*Groß, muskulös, dunkle Haare und Augen, schlagfertig und aufbrausend. Cayce. Ich stehe auf Cayce Duran.*

„Lass uns über etwas anderes reden, okay?" Ich wollte nicht mit Reece darüber sprechen, was ich von einem Mann erwartete. Wie ich ihn kannte, könnte er versuchen, etwas zu werden, das er einfach nicht war. „Also, Antiqua, bist du schon gespannt, wo wir übernachten werden?"

„Ja!", sagte sie und klatschte in die Hände. „Reece hat gesagt, dass ich ein eigenes Zimmer haben werde. Und ich bekomme mein eigenes Badezimmer. Ich bin so glücklich. Ich muss nicht mehr mit Mom teilen."

Reece griff über den Gang und berührte sie an der Schulter. „Würde es dir gefallen, wenn ich dich mit einer Gruppe von Leuten bekannt machen würde, mit denen du Spaß haben kannst?"

„Meinst du Leute mit geistiger Behinderung?", fragte sie und nickte bereits. „Gibt es dort, wo wir leben werden, Gruppen von Leuten, die wie ich sind?"

„Ja. Und sie haben viel Spaß zusammen. Ich könnte deine Gruppe irgendwann auf mein Boot einladen. Wäre das nicht lustig?"

„Er hat ein wirklich großes Boot. Manche Menschen nennen es eine Yacht. Es ist sehr schön, Antiqua", sagte ich zu ihr.

„Ich würde gerne mit einem Boot fahren. Aber ich habe einmal einen Film mit einem Hai gesehen und es war gruselig. Er hat fast alle auf dem Boot gefressen. Passiert das auch auf deinem Boot?", fragte sie Reece.

„Auf keinen Fall. Ich würde niemals zulassen, dass so etwas auf meinem Boot passiert. Du musst dir keine Sorgen machen,

Antiqua." Er zwinkerte mir zu. „Du kannst auch mitkommen, wenn du möchtest."

„Ja!", sagte Antiqua und lächelte. „Du kommst auch mit, Zurie."

„Natürlich komme ich mit." In Anbetracht dessen, wie Reece Pläne für meine Familie machte, wusste ich, dass er und ich viel Zeit miteinander verbringen würden. Und ich wusste, dass das für mich und Cayce nichts Gutes verhieß. Wenn Cayce überhaupt noch etwas mit mir zu tun haben wollte.

Wenn man all die Dinge zusammenzählte, die ich dem Mann angetan hatte, und dann noch eine Schwangerschaft hinzukam, bezweifelte ich es sehr. Aber ich durfte die Hoffnung nicht aufgeben.

Was auch immer passierte, ich konnte Reece nicht einfach im Stich lassen. Nicht nach allem, was er für mich und meine Familie getan hatte und noch tun würde. Wenn Cayce und ich zusammen sein wollten, musste er akzeptieren, dass Reece ein enger Freund sein würde. Ich hoffte, dass Reece und Cayce auch Freunde werden könnten.

Wahrscheinlich verlangte ich von beiden Männern zu viel, aber ich würde es trotzdem tun. Allerdings nur, wenn Cayce mich und das Baby wollte. Oder auch nur das Baby. Ich musste bedenken, dass er mich nach allem, was ich getan hatte, vielleicht nicht haben wollte. Aber egal, was zwischen uns passiert war, ich würde ihn nicht davon abhalten, am Leben seines Kindes teilzuhaben. Auch wenn das bedeutete, dass ich das Sorgerecht mit ihm teilen musste.

Ich rieb mir die Stirn und versuchte, nicht mehr darüber nachzudenken, was in der Zukunft passieren könnte. Ich hatte irgendwo gelesen, dass es am besten war, im Moment zu leben und die Vergangenheit und die Zukunft loszulassen.

Angesichts einer so ungewissen Zukunft erwies sich das jedoch als schwierig. „Weißt du, Reece, es wäre schön, wenn wir auch für meine Mutter eine Gruppe finden könnten. Ich erinnere mich, dass es mehrere alte Damen gab, die jeden

Morgen und Abend in deiner Nachbarschaft zusammen spazieren gegangen sind. Ich frage mich, ob sie sich ihnen anschließen könnte." Ich wollte, dass meine Mutter endlich ein eigenes Leben hatte, jetzt, da sie Hilfe bei der Pflege meiner Schwester haben würde.

Reece nickte. „Ich lasse jemanden vorbeikommen, der deiner Mutter und deiner Schwester einen Wellness-Tag direkt im Haus ermöglicht. Sie können sich die Haare schneiden und färben lasen, wenn sie wollen. Und sie bekommen das beste Make-up. Du kannst ihnen helfen, online eine neue Garderobe zu kaufen. Ich möchte, dass sie das Gefühl haben, hierher zu gehören. Auf diese Weise werden sie auf Anhieb akzeptiert."

„Ich wurde nicht auf Anhieb akzeptiert", erinnerte ich ihn.

„Nur weil du dich geweigert hast, dich von mir verwöhnen zu lassen. Sonst hättest du gut zu den anderen Leuten in meiner Nachbarschaft gepasst. Deine Schwester und deine Mutter scheinen mir mehr als dankbar zu sein für das, was ich zu bieten habe."

„Ich will blonde Haare", sagte Antiqua und fuhr mit den Händen durch ihre von Natur aus dunklen Haare.

„Dann sollst du blonde Haare haben", sagte er zu ihr. „Und die beste Kleidung. Genauso wie Designer-Handtaschen und elegante Schuhe."

Sie quietschte vor Freude und ich dachte, dass ich sie noch nie so glücklich gesehen hatte. „Ich liebe mein neues Leben!"

Meine Gedanken schweiften ab und ich schloss meine Augen. Eines Tages würde Reece bestimmt eine andere Frau finden. Das wünschte ich mir für ihn. Aber was würde dann aus meiner Schwester und meiner Mutter werden?

Ich konnte definitiv mit dem Geld, das ich verdienen würde, für sie sorgen. Aber ich konnte ihnen nicht den verschwenderischen Lebensstil bieten, den sie unter Reece' Obhut haben würden.

Sobald eine andere Frau auf der Bildfläche erschien, würde alles enden und sie würden untröstlich sein. Ich wusste, wie leicht es war, sich an den Luxus, den Reece zu bieten hatte, zu gewöhnen.

Ich spürte eine Hand auf meinem Knie und öffnete die Augen, um zu sehen, dass Reece sich auf seinem Platz umgedreht hatte und mich ansah. „Ich kenne dich, Zurie. Du machst dir Sorgen, wie das alles enden wird."

„Kann sein." Der Mann kannte mich viel zu gut.

„Ich möchte nicht, dass du dir Sorgen machst. Ich habe während unserer langen Reise nachgedacht und mir etwas einfallen lassen. Ich weiß, dass du so etwas niemals akzeptieren würdest, also lasse ich dich da raus. Aber ich habe vor, für deine Mutter und deine Schwester Treuhandfonds einzurichten, durch die sie ihr ganzes Leben lang versorgt sein werden."

Ich war mir nicht sicher, wovon er sprach. „Treuhandfonds?"

„Geld", stellte er klar. „Geld, um das sich Buchhalter kümmern. Auf diese Weise wird es ihnen den Rest ihres Lebens nie mehr an etwas mangeln." Sein Lächeln war ein wenig traurig. „Ich weiß, dass du und ich nie zusammen sein werden. Das kann ich akzeptieren. Ich weiß auch, dass ich dich und deine Familie unmöglich für immer im Poolhaus behalten kann."

„Ja. Sobald ich einen neuen Job habe, suche ich mir eine größere Mietwohnung und wir ziehen um." Ich wollte ihm nicht dabei in die Quere kommen, jemanden zu finden, der ihn liebte.

„Nein, das wirst du nicht tun." Er tippte mit dem Finger auf mein Knie. „Ich werde deiner Mutter und deiner Schwester ein Haus kaufen. Du kannst natürlich bei ihnen wohnen. Aber ich habe das Gefühl, dass du vielleicht die Freiheit haben möchtest, wegzugehen, wenn du willst. Außerdem hat mir deine Mutter erzählt, dass sie noch nie Auto gefahren ist. Also werde ich ihnen ein Auto und einen Fahrer zur Verfügung stellen und Personal für sie einstellen.

Sie müssen keinen Finger rühren, es sei denn, sie wollen es."

Ich nahm seine Hand und zog sie zu meinem Herzen. „Du bist ein erstaunlicher Mensch. Du weißt nicht, wie sehr ich mir wünsche, die Dinge wären anders."

„Aber das sind sie nicht. Und mir wird es gut gehen. Eines Tages. Nicht heute. Aber irgendwann wird es mir gut gehen."

„Danke, dass du so ritterlich bist. Du wirst alle Träume erfüllen, die meine Mutter und meine Schwester jemals hatten." Ich hatte keine Ahnung, warum ich das Glück hatte, dass dieser Mann in mein Leben gekommen war.

„Wenn du mich keinen deiner Träume erfüllen lässt, kann ich es genauso gut für sie tun. Es wird mich glücklich machen."

„Mich auch", sagte meine Schwester und brachte uns zum Lachen.

Mom rührte sich und öffnete die Augen. „Worüber lacht ihr? Habe ich geschnarcht?"

„Nein", sagte ich, als ich Reece ansah. „Du solltest es ihr sagen."

„Blanche, ich habe großartige Neuigkeiten für dich."

Sie wischte sich mit dem Handrücken über die Augen. „Noch mehr großartige Neuigkeiten?"

Ich nickte. „Noch mehr, Mom."

Reece ergriff das Wort. „Ich denke, du und Antiqua habt in eurem Leben genug durchgemacht. Ich habe das Glück, mit Reichtum gesegnet zu sein, und ich teile ihn gerne mit anderen Menschen, die etwas davon brauchen können. Also werde ich einen Teil meines Geldes dir und Antiqua überlassen."

Moms Augen weiteten sich. „Was? Dein Geld teilen? Wirklich? Warum?"

„Mom, er ist ein guter Mensch. Deshalb macht er das. Sag einfach danke", sagte ich ihr.

„Danke. Das meine ich ernst. Aber ich verstehe es nicht. Und ich möchte nicht undankbar klingen, aber ich weiß nicht, wie ich mit Geld umgehen soll. Ich hatte nie viel davon. Ich könnte es verlieren."

Er lachte. „Deshalb werden sich Fachleute um das Geld kümmern. Auf diese Weise musst du dir keine Sorgen machen. Du und Antiqua erhaltet Kreditkarten, mit denen ihr kaufen könnt, was ich wollt. Und ihr bekommt einen Fahrer, der euch überallhin bringt. Personal putzt das Haus, das ich euch kaufe, und kümmert sich um den Garten. Ich werde sogar einen Koch einstellen, damit du nicht kochen musst."

„Was werde ich tun?", fragte sie verwirrt.

„Alles, was du willst, Mom", ließ ich sie wissen.

„Aber ich weiß nicht, was ich machen will. Ich hatte nie die Gelegenheit dazu." Sie sah mich mit großen Augen an. „Ich bin mir nicht sicher, wie ich damit umgehen soll."

„Ich werde dir helfen." Ich tätschelte ihre Hand.

„Ich werde dir auch helfen, Blanche", sagte Reece beruhigend.

„Ich auch, Mom", warf meine Schwester ein. „Ich glaube, ich werde eine gute reiche Lady sein. Und ich werde bestimmt *jede Menge* Verehrer haben."

Mom und ich sahen einander mit hochgezogenen Augenbrauen an.

*Oje! Sieht so aus, als hätte Reece ein Monster erschaffen.*

# KAPITEL NEUNUNDZWANZIG

## CAYCE

Drei Tage waren vergangen und noch immer gab es keine
Spur von Zurie. Chase' Polizistenfreunde waren zu ihrem
Exverlobten gefahren, um ihn zu fragen, ob er sie gesehen
hatte, aber das Personal hatte ihnen gesagt, dass er unterwegs
war und Zurie mitgenommen hatte. Niemand wusste, wann er
zurück sein würde oder wohin sie gegangen waren.

Ihr Handy war ausgeschaltet, also hatte ich das
schreckliche Gefühl, dass sie mit ihrem Ex durchgebrannt und
ihn vielleicht sogar geheiratet hatte. Vielleicht dachte sie, wenn
sie ihn heiratete, würde er ihre Familie vor Niko retten.
Vielleicht hatte er ihr gesagt, dass er sie nur so retten konnte.

Ich hatte wirklich keine Ahnung, was los war. Ich wusste
allerdings, dass Niko ihrer Familie nicht mehr schaden konnte.
Er saß im Gefängnis und der Richter wollte keine Kaution
festsetzen, da ein Fluchtrisiko bestand. Niko ging also
nirgendwohin.

Bei Mantabo war Chaos ausgebrochen. Die
Vorstandsmitglieder bemühten sich, Niko loszuwerden, bevor
er noch mehr Schaden anrichten konnte. Die Medien hatten

bereits von seinen Verbrechen erfahren, und im Internet wurden er und sein Unternehmen niedergemacht. Ich war mir ziemlich sicher, dass es bald schließen würde.

Die einzigen Menschen, die mir leidtaten, waren die Angestellten. Sie suchten bereits nach neuen Jobs, weil sie genauso wie ich vom Zusammenbruch von Mantabo ausgingen. Ich bezweifelte ohnehin, dass Zurie Pläne hatte, wieder dort zu arbeiten.

*Ich schätze, sie versucht, sich mit dem armen Kerl, der sich in sie verliebt hat, ein neues Leben aufzubauen.*

Während ich mein viertes Bier trank, starrte ich auf den Fernseher, der leise lief. Der Mann tat mir leid. Vor allem, weil mir etwas klar geworden war, als Niko mir erzählt hatte, dass er gedroht hatte, ihre Familie zu töten, wenn sie mich nicht erpresste.

*Ich liebe sie auch.*

Wie konnte ich ihr die Schuld für das geben, was sie getan hatte, wenn sie nur versucht hatte, ihre Familie zu beschützen?

Das hätte sie mir aber auch erzählen können. Ich hätte ihr geholfen. Sie hätte sich nicht an ihren alten Liebhaber wenden müssen. Sie hätte mich nicht verlassen müssen, ohne ein verdammtes Wort zu sagen.

Sie hätte mir wenigstens eine kurze Nachricht hinterlassen können. Sogar etwas so Einfaches wie *Ich muss meine Familie retten* wäre besser gewesen als das, was ich von ihr bekommen hatte. Nichts. Überhaupt nichts.

Unser letztes Gespräch war vielleicht nicht das beste gewesen. Das musste ich zugeben. Aber auch nicht das schlimmste. Wir hatten schon schlimmere Gespräche geführt. Das war einer der Hauptgründe, warum ich unbedingt mit ihr reden wollte.

Ich musste mich für all die hässlichen Dinge entschuldigen, die ich zu ihr gesagt hatte. Hätte ich gewusst, dass sie noch fürchterlicher erpresst wurde als ich, hätte ich das niemals getan.

Ein weiterer Grund, warum ich mit ihr sprechen wollte, war, ihr von meiner Erkenntnis zu erzählen. Ich liebte sie. Ich liebte sie wirklich. Das wusste ich ohne Zweifel.

Ich hätte Niko umgebracht, wenn meine Brüder mich nicht aufgehalten hätten. Und jemanden zu töten war nichts, was man für einen Menschen tat, den man nur mochte. Nur Liebe führte zu so einer Reaktion.

Mein Handy summte und ich hob es vom Couchtisch auf. Dieses Geräusch bedeutete, dass jemand an meinem Tor war und den Anrufknopf drückte. Es war fast Mitternacht, also hatte ich keine Ahnung, wer versuchen könnte, auf mein Grundstück zu gelangen.

Ich hatte eine Überwachungskamera am Tor installiert, also öffnete ich die zugehörige App auf meinem Handy und sah, dass ein schwarzer BMW draußen parkte. „Wer zum Teufel ist das?"

Schließlich kam eine Hand aus dem Fenster und winkte in die Kamera. Dann tauchte ein Kopf auf und silberne Haare wehten im Wind.

*Zurie!*

Ich drückte den Knopf, um das Tor zu öffnen, und rannte zur Haustür. Dann fuhr ich mit den Händen durch meine Haare und versuchte, sie zu bändigen, da ich wusste, dass sie zerzaust waren, nachdem ich stundenlang niedergeschlagen herumgelegen hatte.

Ich machte das Licht an, um sie zu begrüßen, und winkte wie ein Schulkind, dessen Mutter gekommen war, um es abzuholen. „Zurie!"

Sie parkte das Auto und als sie ausstieg, sah sie mich verwirrt an. „Du siehst glücklich aus, mich zu sehen."

Ich rannte zu ihr, packte sie und wirbelte sie herum. „Ich freue mich so sehr. Wo bist du gewesen?"

„Können wir reingehen und reden?"

Ich stellte ihre Füße auf den Boden, ließ ihre Hand aber nicht los. Ich ergriff auch ihre linke Hand und zog sie hoch, um nachzusehen, ob dort ein Ring war. Als ich nur schöne nackte Finger entdeckte, stieß ich einen Freudenschrei aus. „Oh, Gott sei Dank!"

„Was ist los mit dir, Cayce?"

„Nichts. Ich bin nur froh, dass du zu Hause bist, das ist alles." Als ich hineinging, konnte ich es kaum erwarten zu hören, wie es ihr ergangen war. „Du musst mir erzählen, was passiert ist. Dein Handy ist ausgeschaltet. Du warst drei Tage weg. Und ich habe dir auch viel zu erzählen. Hast du schon mit der Polizei gesprochen? Wann bist du zurückgekommen?" Ich musste die Klappe halten. Es war, als hätte mein Mund ein Eigenleben entwickelt.

Wir setzten uns auf die Couch, während sie mich verwirrt ansah. „Warum sollte ich mit der Polizei sprechen?"

„Niko wurde verhaftet. Ich – ich meine, *wir* – meine Brüder und ich waren am Montagmorgen bei ihm. Wir haben ihn dazu gebracht, einige Dinge zu gestehen. Er sagte uns, dass er dir gedroht hat, deine Familie töten zu lassen, wenn du nicht tust, was er wollte. Die Polizei hat mitgehört und ihn eingesperrt."

Keuchend legte sie ihre Hand auf ihre Brust. „Gott sei Dank. Deshalb bin ich weggegangen. Ich musste meine Familie in Sicherheit bringen."

„Du bist mit deinem Ex weggegangen." Ich versuchte, nicht gereizt zu klingen, aber es funktionierte nicht ganz. „Ich weiß das, weil die Polizei dich gesucht hat und als du nicht zu Hause warst, sagte jemand, dass du vielleicht mit deinem Ex zusammen warst. Diese Person hatte seine Adresse und gab sie der Polizei. Aber als die Beamten dorthin gingen, sagte das Personal, dass ihr beide schon weg wärt. Niemand wusste, wann ihr zurückkommen würdet oder wohin ihr gegangen wart. Ich war krank vor Sorge, Zurie."

„Oh, das tut mir leid, Cayce." Ein entzückendes kleines Lächeln umspielte ihre Lippen und sie strich mit ihrer Hand über meine Haare, fast als wollte sie mich trösten. „Ich wusste ehrlich gesagt nicht, dass du dir Sorgen machen würdest. Ich habe mein Handy zu Hause gelassen, falls Niko es irgendwie orten könnte. Ich habe keiner Menschenseele gesagt, wohin ich gegangen bin. Ich konnte nicht das Risiko eingehen, dass Niko es erfahren und jemanden damit beauftragen würde, meine Mutter und meine Schwester zu töten."

„Also hast du diesen Reece gebeten, dir zu helfen?" Ich wusste, dass ich erbärmlich klang. „Und mich nicht?"

Sie nahm meine Hand, legte sie an ihre Lippen und küsste sie. „Cayce, ich war mir nicht sicher, ob ich dir alles erzählen konnte, weil ich Angst hatte, dass du Niko zur Rede stellen würdest. Das konnte ich nicht zulassen. Außerdem brauchte ich die Hilfe von jemandem mit viel Geld. Reece hat einen eigenen Jet und die finanziellen Mittel, die ich brauchte. Deshalb habe ich ihn gebeten, mir zu helfen."

„Also ist der Kerl reich?", fragte ich überrascht. „Das muss sein Auto sein, mit dem du hergefahren bist."

„Ja, das ist es. Wir sind vor einer Stunde zurückgekommen. Er hat es mir ausgeliehen, um dich zu besuchen."

„Also weiß er, dass du hier bist? Bei mir? Und er ist nicht wütend darüber?" An seiner Stelle wäre ich wütend gewesen. „Er hat dich gerade um die halbe Welt geflogen und deine Familie abgeholt. Ich nehme an, er hat sie jetzt bei sich."

„Ja. Wir bleiben in seinem Poolhaus, bis er meiner Mutter und meiner Schwester ein eigenes Haus kauft. Er ist so ein netter Mensch, Cayce. Er wird sich gut um sie kümmern."

Eifersucht stieg in mir auf und ich zog meine Hand aus ihrem Griff. „Und was ist mit dir? Wird er sich auch um dich kümmern?"

„Er würde es tun. Aber das möchte ich nicht … Wenn Niko eingesperrt ist, was wird dann aus Mantabo?"

„Es wird wohl schließen."

„Dann habe ich also wirklich keinen Job mehr", murmelte sie. „Nun, ich werde mir einfach einen neuen suchen. Wenn Niko eingesperrt ist, muss ich wohl keine Angst davor haben, in meine Wohnung zurückzukehren. Das ist gut. Mom und Antiqua wird es gut gehen. Reece hat Personal, das sie von vorne bis hinten bedient. Ich könnte sie jeden Tag besuchen."

Ich hatte das Gefühl, dass sie wissen sollte, dass auch ich genug Geld hatte, um ihrer Familie zu helfen. „Ich habe dir das vielleicht nicht erzählt, aber ich bin auch wohlhabend. Ich kann ihnen helfen. Ich kann dir helfen."

Sie starrte mich einen Moment lang an. „Du bist was?"

„Wohlhabend. Nun, tatsächlich bin ich Milliardär. Noch nicht lange. Aber ich bin es. So wie alle meine Brüder. Unsere Cousins haben uns in das Familienunternehmen aufgenommen. Du musst dir also nicht von deinem Ex helfen lassen. Ich könnte das für dich tun, Zurie. Ich meine, ich möchte das für dich tun. Weißt du, etwas ist passiert, als wir uns mit Niko getroffen haben. Ich habe fast den Verstand verloren, als er sagte, dass er dich bedroht hat. Ich wollte ihn umbringen."

Sie presste ihre Hand auf ihren Mund, der offen stand. „Du wolltest was?"

„Ich habe es nicht getan. Offensichtlich. Meine Brüder haben mich aufgehalten. Aber ich hätte ihm den Hals gebrochen, wenn ich ihn in die Finger bekommen hätte. Das hat mir gezeigt, was ich für dich empfinde."

„Hat es das?"

Ich würde meine Gefühle nicht vor ihr ausbreiten, bis sie es selbst tat, wenn auch nur ein bisschen. „Zunächst einmal … denkst du an mich?"

„Ich konnte nicht aufhören, an dich zu denken. Die ganze Zeit warst du genau hier." Sie tippte sich an die Stirn. „In meinen Gedanken. Ich schätze, das bedeutet, dass du mir sehr wichtig bist."

„So wichtig, dass du mich vielleicht sogar liebst?", fragte ich und hoffte, dass sie zustimmen würde.

Bei ihrem Lächeln wurde mir warm ums Herz. „Es könnte Liebe sein."

„Ja, bei mir auch. Ich glaube, dass ich dich vielleicht einfach liebe, Zurie. Und ich möchte bei dir sein, damit wir unsere Gefühle füreinander erforschen können. Was sagst du dazu?"

Nickend flüsterte sie: „Ich denke, das wäre sehr schön."

„Es tut mir wirklich leid wegen all der gemeinen Dinge, die ich zu dir gesagt habe, und wegen all der Anschuldigungen und voreiligen Schlüsse. Im Ernst. Du hast keine Ahnung, wie leid mir das tut. Ich würde es dir nicht verübeln, wenn du mich für einige der Dinge, die ich gesagt habe, oder die Schimpfwörter, mit denen ich dich bezeichnet habe, hassen würdest. Ich kann dir versprechen, dich nie wieder so zu nennen."

„Das kann ich dir alles verzeihen. Ich war eine Schlampe zu dir, aber ich bin nicht wirklich so ein Mensch. Ich denke, das hast du herausgefunden, als du gehört hast, was Niko zu sagen hatte."

„Ja, ich habe es sofort erkannt." Ich verschränkte meine Finger mit ihren. „Ich bin froh, dass du wieder da bist. Ich weiß, dass das sehr plötzlich kommt, aber ich würde es wirklich begrüßen, wenn du hier bei mir bleibst. Ich würde mich auch freuen, wenn du die Forschungsabteilung leiten würdest, die wir bald für unser Unternehmen brauchen werden."

„Leiten?", fragte sie grinsend. „Das klingt nach einem ziemlich gut bezahlten Job."

„Das ist er auch." Ich küsste zärtlich ihre Lippen. „Er bringt viele Vorteile mit sich. Sehr viele."

Sie legte ihre Hände auf meine Schultern und schob mich sanft zurück. „Ich muss dir zuerst etwas sagen. Es kann nicht warten."

„Dann sag es mir." Ich sehnte mich nach ihr. Ich musste sie haben.

„Wir werden Eltern." Sie nahm meine Hand und drückte sie gegen ihren Bauch. „Ich bekomme ein Baby von dir, Cayce."

*Was?*

Ich lachte und konnte kaum glauben, wie sehr sich mein Leben in so kurzer Zeit verändert hatte.

Ich umfasste ihr Gesicht mit meinen Händen, zog sie zu mir und küsste sie.

# EPILOG

## ZURIE

*Ein Jahr später …*

Während ich in unserem Bett lag, beobachtete ich Cayce, wie er unser drei Monate altes Baby wiegte und es für die Nacht schlafen legte. „Weißt du, ich glaube nicht, dass du heißer sein könntest, als du jetzt bist."

„Ist das so?" Er beugte sich vor, um Clarisse einen Kuss auf die Stirn zu geben.

„Gerade bist du noch heißer geworden", sagte ich mit einem Lächeln. „Sie sieht aus, als würde sie nicht so schnell wieder aufwachen. Was sagst du dazu, jetzt zu mir ins Bett zu kommen?"

Er erhob sich aus dem Schaukelstuhl und ging auf Zehenspitzen aus unserem Schlafzimmer, um die Kleine in ihre Wiege im Nebenzimmer zu legen. Als Cayce zurückkam, hatte er sein Shirt schon ausgezogen. „Ich hoffe, du bist bereit, Baby. Daddy will dich."

„Hey, das klingt verdammt unanständig. Komm her, du Perverser." Ich zog mein Nachthemd aus und er befreite mich von meinem Höschen.

„Ich bin *dein* Perverser." Er küsste die Innenseite meines Oberschenkels, während er sich an meinem Körper hinaufbewegte.

„Du musst an deinen Verführungskünsten arbeiten", sagte ich und vergrub meine Hände in seinen langen Locken. Er hatte seine Haare wachsen lassen und sich während der gesamten Schwangerschaft geweigert, sie abzuschneiden. Er hatte gesagt, wenn ich mich unwohl fühlen musste, dann musste er es auch tun.

„Drei Monate ohne Sex haben meinen Verführungskünsten wohl geschadet." Er strich mit seiner bärtigen Wange über meine Brüste. Seinen Bart hatte er auch wachsen lassen.

„Weißt du, ich fühle mich nicht mehr unwohl. Du könntest also endlich wieder zum Friseur gehen."

„Ich weiß nicht. Ich habe mich an all die Haare gewöhnt. Ich könnte sie so lassen. Sich nicht jeden Morgen rasieren zu müssen ist ziemlich großartig." Er küsste mich und sein Bart strich über mein Gesicht.

Ich kicherte, als er mich damit kitzelte. „Es wäre schön, meinen Mann küssen zu können, ohne dabei zu lachen."

„Willst du damit sagen, dass mein Bart kitzelt?" Er küsste mich erneut.

Ich musste wieder lachen. „Ja, er kitzelt. Es wäre schön, wenn ich morgen nicht mehr lachen müsste, wenn ich dich küsse."

„Das *wäre* nett. Aber ich bin immer noch unentschlossen, ob ich alles davon loswerden soll. Ich meine, ich kann mir jetzt einen Pferdeschwanz machen. Ich kann nicht behaupten, dass ich das jemals zuvor geschafft habe."

Ich legte meine Hand um seine Haare und zog sie aus seinem Gesicht. „Der Pferdeschwanz, den du in letzter Zeit getragen hast … Ich bin mir nicht sicher, wie trendy das ist."

„Nun, ich könnte mir auch zwei Zöpfe machen." Er legte sich auf mich, teilte seine Haare und hielt sie fest. „Was denkst du? Ist das süß?"

„Oh Gott." Ich packte ihn und zog ihn zu mir. „Küss mich einfach und liebe mich, wie nur du es kannst."

„Du kannst deinen süßen Hintern darauf verwetten, dass nur *ich* dich lieben kann." Er nahm meine Hände und zog sie über meinen Kopf, bevor er sie auf das Bett drückte. „Du erinnerst dich bestimmt, dass ich dir schon beim allerersten Mal, als wir uns liebten, gesagt habe, dass du mir gehörst."

„Du hast damals behauptet, das sei nur sexy Gerede gewesen", erinnerte ich ihn und ließ meinen Fuß über die Rückseite seines Beins gleiten.

„Habe ich das?" Sein Körper bewegte sich zwischen meine Beine und stieß in mich.

Ich keuchte und seufzte dann. Durch die Verbindung mit ihm fühlte ich mich so anders – im besten Sinne. „Ja, das hast du."

„Ich habe gelogen. Von diesem Moment an hast du mir gehört."

Ich hielt sein schönes Gesicht zwischen meinen Händen und konnte nicht aufhören zu lächeln. „Das werde ich immer tun. Und du wirst immer mir gehören."

„Wir werden sehen", sagte er mit einem leisen Lachen.

„Was?"

Sein Mund drückte sich hart auf meinen und seine Zunge schob sich zwischen meine Lippen. Er hielt immer noch meine Hände fest und bewegte sich rhythmisch mit mir, als wir auf die Suche nach dem bodenlosen Abgrund gingen, in den wir jedes Mal fielen, wenn unsere Körper zusammenkamen.

Aller Humor war vergessen, als wir uns ineinander verloren. Es war unmöglich zu sagen, wo ich endete und er begann.

Er neckte mich, indem er aufhörte, sich zu bewegen. Ich wölbte mich ihm entgegen und flehte ihn an, mir mehr zu geben. Sein Mund verließ meinen und zog eine Spur von Küssen über meinen Hals. „Willst du, dass ich dir mehr gebe, Baby?"

„Ja", flüsterte ich. „Das will ich."

Er rieb sich an mir und stellte sicher, dass er dabei meine geschwollene Perle berührte. „Willst du das?"

„Oh Gott, ja!" Ich bewegte mich schneller und wollte den Adrenalinstoß spüren, der kurz vor dem Orgasmus kam. Ekstase breitete sich in mir aus, mir wurde schwindelig und meine Beine zitterten. „Ja!"

„Verdammt", sagte er mit zusammengebissenen Zähnen. „Baby, du raubst mir den Verstand."

Normalerweise konnte er zwei oder drei meiner Orgasmen abwarten, bevor er selbst zum Höhepunkt kam. Aber diesmal schien es anders zu sein.

Ich schlang meine Beine um ihn und hielt ihn in mir fest. „Gib es mir."

„Verdammt", stöhnte er, als er versuchte, sich zurückzuhalten.

Ich bewegte mich, um ihn zum Nachgeben zu zwingen. „Ich will es."

„Dann bekommst du es." Er zog eines meiner Beine hoch und hielt es fest, als er sich hart und schnell in mich rammte. „Heilige Hölle!"

Mein Körper brannte und es war, als würde ich von innen nach außen schmelzen. Das Geräusch, als unsere Körper zusammenprallten, war Musik in meinen Ohren. Dann füllte er mich mit seiner Hitze und meine Ohren mit seinem zufriedenen Stöhnen.

Keuchend versuchte ich, zu Atem zu kommen, als er auf mich fiel. Sein Herz hämmerte gegen meine Brust und mein Herz hämmerte direkt zurück. „Es gibt keine Worte, um auszudrücken, wie ich mich fühle, Cayce."

„Glücklich?", fragte er mit gedämpfter Stimme, weil sein Gesicht in meinen Haaren vergraben war.

„Mehr als das." Während er auf mir lag und wieder zu Atem kam, streichelte ich seinen Rücken und dachte darüber nach, welche Worte beschreiben könnten, wie ich mich fühlte.

„Zufrieden?"

„Viel mehr als nur zufrieden. Vielleicht fällt mir etwas ein."

„Oder du versuchst gar nicht erst, ein Wort zu finden, um all diese Gefühle zu beschreiben."

*Vielleicht hat er recht. Es ist einfach zu viel, um es mit einem Wort auszudrücken.*

# CAYCE

*Am nächsten Tag …*

Ich stand neben meinen drei Brüdern und wartete auf Zurie. „Ich kann kaum glauben, dass dieser Tag endlich gekommen ist."

„Freue dich nicht zu früh", sagte Chance. „Sie ist noch nicht auf dem roten Teppich aufgetaucht."

„Ja", fügte Callan hinzu, „vielleicht hat sie kalte Füße bekommen."

Chase, der direkt neben mir stand, stieß mit seiner Schulter gegen meine. „Lass dich nicht verunsichern. Dieses Mädchen liebt dich, Cayce. Ich hoffe, dass ich auch jemanden finde, der mich so ansieht, wie sie dich ansieht."

„Wie kitschig klingt das denn?" Chance lachte. „Okay, ihr zwei seht großartig zusammen aus. Na und? Es ist trotzdem eine lebenslange Verpflichtung, die du hier eingehst. Ich verstehe nicht, warum jemand feiern möchte, dass er für den Rest seines Lebens an nur eine Person gebunden ist." Er zitterte. „Schon allein bei der Vorstellung bekomme ich Gänsehaut."

„Du bist erst sechsundzwanzig, also erwarte ich nicht, dass du wahre Liebe verstehst, Chance", sagte ich zu ihm. „Wenn du die richtige Frau triffst, weißt du es einfach. Ich weiß, dass ich nie wieder eine andere Frau haben will. Und durch die Heirat mit Zurie weiß ich, dass sie nie wieder mit einem anderen Mann zusammen sein wird. Deshalb heiraten die Leute. Um sicherzustellen, dass niemand auch nur daran denkt, ihren Ehepartner anzurühren. Ich glaube, das sieht sie auch so."

Callan starrte mich an, als wäre ich verrückt. „Ich denke, bei einer Ehe geht es um mehr, Cayce."

„Ich habe es stark verkürzt, Callan. Es geht um viele Dinge. Aber im Grunde ist der Kern der Ehe die Idee, dass keiner der Partner jemals mit einer anderen Person zusammen sein wird, solange beide leben."

„Aber was ist, wenn du stirbst?", fragte Chance. „Was dann? Oder wenn sie stirbt?"

„Ich denke, das Gelübde sagt alles. Solange *beide* leben. Ich schätze, das heißt, auch wenn sie stirbt, werde ich nie wieder mit einer anderen Frau zusammen sein, und das gilt auch für sie."

Der Priester beugte sich vor. „Das ist überhaupt nicht so gemeint. Wenn einer von Ihnen stirbt, kann der andere wieder heiraten. Es ist seelisch gesünder, etwa ein Jahr nach dem Tod des Ehepartners eine neue Beziehung einzugehen."

Ich sah ihn mit einer hochgezogenen Augenbraue an. „Ich wäre Ihnen dankbar, wenn Sie meiner zukünftigen Ehefrau Ihre Theorie über dieses Gelübde nicht erzählen würden, Sir."

Achselzuckend wich er zurück. „Ich meine ja nur."

„Behalten Sie Ihre Weisheiten für sich und lesen Sie einfach die Fragen vor, wenn es an der Zeit ist. Das Letzte, woran ich bei meiner Hochzeit denken möchte, ist, dass meine Frau irgendwann mit einem anderen Mann zusammen sein könnte." Ich verdrehte die Augen, als ich mit dem Daumen auf den Mann deutete, der hinter dem Podium stand. „Ist das zu glauben? Ein paar Jahre im Seminar, und der Kerl denkt, er weiß alles."

Der Priester beugte sich wieder vor. „Ich war nicht im Seminar. Ich wurde von einer Online-Kirche ausgebildet. Aber ich bin mir sehr sicher, dass ich mit meiner Theorie recht habe."

Ich starrte Chase an. „Du warst dafür verantwortlich, uns einen Priester zu besorgen, und das war alles, was du finden konntest?"

„Er ist staatlich anerkannt", argumentierte er. „Und er war verfügbar. Hast du eine Ahnung, wie schwer es ist, einen Priester zu finden, der Leute traut, die keiner Kirche angehören? Es ist nahezu unmöglich."

Wieder beugte sich der Kerl vor. „Außerdem werde ich nicht Priester genannt, sondern Prediger. Ich meine ja nur. Vielleicht nennen Sie mich nächstes Mal Prediger."

Als plötzlich Musik erklang, zuckte ich zusammen. „Sie kommt! Sie wird mich wirklich heiraten!"

Chase lachte. „Hast du etwa an ihr gezweifelt?"

„Ein wenig. Nur ein wenig. Es ist ein großer Schritt. Ich meine, jeder würde sich Sorgen machen." Ich rückte meine Krawatte zurecht. „Wie sehe ich aus? Gut? Ich hoffe, sie ist überrascht, wenn sie sieht, dass ich mich rasiert habe und beim Friseur war. Ich hoffe, sie erkennt mich überhaupt noch."

Ihre Mutter kam den Gang herunter und hielt unser kleines Mädchen im Arm. Ich winkte ihr aus irgendeinem Grund zu. „Blanche, ich freue mich, dich zu sehen."

Meine Brüder sahen mich an, als wäre ich verrückt geworden. Dann sagte Chase: „Kannst du einfach die Klappe halten, Cayce? Verdammt."

Ich nickte und wusste, dass er recht hatte.

Ihre Schwester Antiqua kam als Nächste. Sie hatte sich bei Reece untergehakt, der ihr half, den Gang entlang zu gehen. Er war ein netter Kerl. Wirklich nett. Er hatte dafür bezahlt, dass sie und ihre Mutter die nötigen Operationen bekamen, obwohl ich versucht hatte, mich darum zu kümmern. Er hatte sogar Antiquas Physiotherapie bezahlt, damit sie wieder laufen konnte. Er und ich waren gute Freunde geworden.

Sie nahmen ihre Plätze ein. Dann ertönte die Brautmusik und Zurie erschien. Sie trug ein langes weißes Hochzeitskleid und ihre silbernen Haare waren wunderschön hochgesteckt. Ihre Augen waren auf meine gerichtet.

Ich spürte, wie meine Augen brannten, und konnte es nicht glauben, als eine Träne über meine Wange lief. „Heilige Scheiße", flüsterte ich und wischte das verdammte Ding weg.

Als ich aufsah, war Zurie neben mir. „Hey, du. Ich bin da. Sollen wir das wirklich tun?"

„Willst du bis ans Ende deiner Tage glücklich mit mir sein, Baby?"

Zu meiner Erleichterung nickte sie. „Das will ich auf jeden Fall."

Und genau das taten wir auch.

**ENDE**